西遊記

册五

吴承恩 著

北京聯合出版公司

第六十八回 朱紫國唐僧論前世 孫行者施爲三折肱

善正萬緣收，名譽傳揚四部洲。智慧光明登彼岸，颼颼，叆叆雲生天際頭。諸佛共相酬，永住瑶臺萬萬秋。
打破人間蝴蝶夢，休休，滌净塵氛不惹愁。

話表三藏師徒，洗污穢之衚衕，上遥逍之道路，光陰迅速，又值炎天。正是：

海榴舒錦彈，荷葉綻青盤。兩路緑楊藏乳燕，行人避暑扇摇紈。

進前行處，忽見有一城池相近。三藏勒馬叫：『徒弟們，你看那是甚麼去處？』行者道：『師父原來不識字，虧你怎麼領唐王旨意離朝也！』三藏道：『我自幼爲僧，千經萬典皆通，怎麼説我不識字？』行者道：『既識字，怎麼那城頭上杏黄旗，明書三個大字，就不認得，却問是甚去處何也？』三藏喝道：『這潑猴胡説！那旗被風吹得亂擺，縱有字也看不明白！』行者道：『老孫偏怎看見？』八戒、沙僧道：『師父，莫聽師兄搗鬼。這般遥望，城池尚不明白，如何就見是甚字號？』行者道：『却不是「朱紫國」三字？』三藏道：『朱紫國必是西邦王位，却要倒换關文。』行者道：『不消講了。』

不多時，至城門下馬，過橋，入進三層門裏，真個好個皇州！但見：

門樓高聳，垛迭齊排。周圍活水通流，南北高山相對。六街三市貨資多，萬户千家生意盛。果然是個帝王都會處，天府大京城。絶域梯航至，遐方玉帛盈。形勝連山遠，宫垣接漢清。三關嚴鎖鑰，萬古樂昇平。

師徒們在那大街市上行時，但見人物軒昂，衣冠齊整，言語清朗，真不亞大唐世界。那兩邊做買做賣的，忽見猪八戒相貌醜陋，沙和尚面黑身長，孫行者臉毛額廓，丢了買賣，都來争看。三藏衹叫：『不要撞禍！低着頭走！』八戒遵依，把個把子嘴揣在懷裏；沙僧不敢仰視；惟行者東張西望，緊隨唐僧左右。那些人有知事的，看看兒就回去了。有那遊手好閑的，併那頑童們，烘烘笑笑，都上前抛瓦丢磚，與八戒作戲。唐僧捏着一把汗，衹教：『莫要生事！』那呆子不敢抬頭。

不多時，轉過隅頭，忽見一座門墻，上有『會同館』三字。唐僧道：『徒弟，我們進這衙門去也。』行者道：『進去怎的？』唐僧道：『會同館乃天下通會通同之所，我們也打攪得。且到裏面歇下。待我見駕，倒换了關文，再趕出城走路。』八戒聞言，掣出嘴來，把那些隨看的人，唬倒了數十個。他上前道：『師父説的是。我們且到裏邊藏下，免得這伙鳥人吵嚷。』遂進館去。那些人方漸漸而退。

却説那館中有兩個大使，乃是一正一副，都在廳上查點人夫，要往那裏接官。忽見唐僧來到，個個心驚，齊道：『是甚麼人？是甚麼人？往那裏走？』三藏合掌道：『貧僧乃東土大唐駕下，差往西天取經者。今到寶方，不敢私過，有關文欲倒驗放行，權借高衙暫歇。』那兩個館使聽言，屏退左右，一個個整冠束帶，下廳迎上相見。即命打掃客房安歇，教辦清素支應。三藏謝了。二官帶領人夫，出廳而去。手下人請老爺客房安歇，三藏便走。行者恨道：『這斯憊懶！怎麼不讓老孫在正廳？』三藏道：『他這裏不服我大唐管屬，又不與我國相連，况不時又有上司過客來往，所以不好留此相待。』行者道：『這等説，我偏要他相待！』

正説處，有管事的送支應來，乃是一盤白米、一盤白麵、兩把青菜、四塊豆腐、兩個麵筋、一盤乾笋、一盤木耳。三藏教徒弟收了，謝了管事的。管事的道：『西房裏有乾净鍋竈，柴火方便，請自去做飯。』三藏道：『我問你一聲，國王可在殿上麼？』管事的道：『我萬歲爺爺久不上朝，今日乃黄道良辰，正與文武多官議出黄榜。你若要倒换關文，趁此急去，還趕上；到明日，就不能够了，不知還有多少時伺候哩。』三藏道：『悟空，你們在此安排齋飯，等我急急去驗了關文回來，吃了走路。』八戒急取出袈裟關文。三藏整束了進朝，只是吩咐徒弟們，切不可出外去生事。

不一時，已到五鳳樓前。説不盡那殿閣峥嶸，樓臺壯麗。直至端門外，煩奏事官轉達天廷，欲倒驗關文。那黄門官果至玉階前，啓奏道：『朝門外有東土大唐欽差一員僧，前往西天雷音寺拜佛求經，欲倒换通關文牒，聽宣。』

國王聞言，喜道：「寡人久病，不曾登基，今上殿出榜招醫，就有高僧來國！」即傳旨宣至階下。三藏即禮拜俯伏。國王又宣上金殿賜坐，命光禄寺辦齋。三藏謝了恩，將關文獻上。

國王看畢，十分歡喜道：「法師，你那大唐，幾朝君正？幾輩臣賢？至于唐王，因甚作疾回生，着你遠涉山川求經？」這長老因問，即欠身合掌道：「貧僧那裏：

三皇治世，五帝分倫。堯舜正位，禹湯安民。成周子衆，各立乾坤。倚强欺弱，分國稱君。邦君十八，分野邊塵。後成十二，宇宙安淳。因無車馬，却又相吞。七雄争勝，六國歸秦。天生魯沛，各懷不仁。江山屬漢，約法欽遵。漢歸司馬，晋又紛紜。南北十二，宋齊梁陳。列祖相繼，大隋紹真。賞花無道，塗炭多民。我王李氏，國號唐君。高祖晏駕，當今世民。河清海晏，大德寬仁。兹因長安城北，有個怪水龍神，刻减甘雨，應該損身。夜間託夢，告王救迯。王言準赦，早召賢臣。款留殿内，慢把棋輪。時當日午，那賢臣夢斬龍身。」

國王聞言，忽作呻吟之聲，問道：「法師，那賢臣是那邦來者？」三藏道：「就是我王駕前丞相，姓魏名征。他識天文，知地理，辨陰陽，乃安邦立國之大宰輔也。因他夢斬了涇河龍王，那龍王告到陰司，說我王許救又殺之，故我王遂得促病，漸覺身危。魏徵又寫書一封，與我王帶至陰司，寄與酆都城判官崔珏。少時，唐王身死，至三日復得回生。虧了魏徵，感崔判官改了文書，加王二十年壽。今要做水陸大會，故遣貧僧遠跋道途，詢求諸國，拜佛祖，取《大乘經》三藏，超度孽苦昇天也。」那國王又呻吟嘆道：「誠乃是天朝大國，君正臣賢！似我寡人久病多時，并無一臣拯救。」長老聽說，偷睛觀看，見那皇帝面黄肌瘦，形脱神衰。長老正欲啓問，有光禄寺官，奏請唐僧奉齋。王傳旨，教「在披香殿，連朕之膳擺下，與法師同享。」三藏謝了恩，與王同進膳進齋不題。

却說行者在會同館中，着沙僧安排茶飯，并整治素菜。沙僧道：「茶飯易煮，蔬菜不好安排。」行者問道：「如何？」沙僧道：「油、鹽、醬、醋俱無也。」行者道：「我這裏有幾文襯錢，教八戒上街買去。」那呆子躲懶道：「我不敢去。嘴臉欠俊，恐惹下禍來，師父怪我。」行者道：「公平交易，又不化他，又不搶他，何禍之有！」八戒道：「你才不曾看見獐智？在這門前扯出嘴來，把人唬倒了十來個；若到鬧市叢中，也不知唬殺多少人是！」行者道：「你衹知鬧市叢中，你可曾看見那市上賣的是甚麽東西？」八戒道：「師父衹教我低着頭，莫撞禍，實是不曾看見。」行者道：「酒店、米鋪、磨坊，併綾羅雜貨不消説；着然又好茶房、麵店，大燒餅、大饃饃，飯店又有好湯飯、好椒料、好蔬菜，與那异品的糖糕、蒸酥、點心、捲子、油食、蜜食，無數好東西，我去買些兒請你如何？」那呆子聞説，口内流涎，喉嚨裏咽咽的咽唾，跳起來道：「哥哥！這遭我擾你，待下次攢錢，我也請你回席。」行者暗笑道：「沙僧，好生煮飯，等我們去買調和來。」沙僧也知是耍呆子，只得順口應承道：「你們去，須是多買些，吃飽了來。」那呆子撈個碗盞拿了，就跟行者出門。有兩個在官人問道：「長老那裏去？」行者道：「買調和。」那人道：「這條街往西去，轉過拐角鼓樓，那鄭家雜貨店，憑你買多少，油、鹽、醬、醋、薑、椒、茶葉俱全。」

他二人携手相攙，徑上街西而去。行者過了幾處茶房，幾家飯店，當買的不買，當吃的不吃。八戒叫道：「師兄，這裏將就買些用罷。」那行者原是耍他，那裏肯買，道：「賢弟，你好不經紀！再走走，揀大的買吃。」兩個人説説話兒，又領了許多人跟隨争看。不時，到了鼓樓邊，衹見那樓下無數人喧嚷，擠擠挨挨，填街塞路。八戒見了道：「哥哥，我不去了。那裏人嚷得緊，只怕是拿和尚的。又况是面生可疑之人，拿了去，怎的了？」行者道：「胡談！和尚又不犯法，拿我怎的？我們走過去，到鄭家店買些調和來。」八戒道：「罷！罷！罷！我不撞禍。這一擠到人叢裏，把耳朵了兩拄，唬得他跌跌爬爬，跌死幾個，我倒償命是！」行者道：「既然如此，你在這壁根下站定，等我過去買了回來，與你買素麵燒餅吃罷。」那呆子將碗盞遞與行者，把嘴拄着墻根，背着臉，死也不動。

這行者走在樓邊，果然擠塞。直挨入人叢裏聽時，原來是那皇榜張挂樓下，故多人争看。行者擠到近處，閃開火眼金睛，仔細看時，那榜上却云：

『朕西牛賀洲朱紫國王，自立業以來，四方平服，百姓清安。近因國事不祥，沉痾伏枕，淹延日久難痊。本國太醫院，屢選良方，未能調治。今出此榜文，普招天下賢士。不拘北往東來，中華外國，若有精醫藥者，請登寶殿，療理朕躬。稍得病愈，願將社稷平分，决不虛示。爲此出給張挂。須至榜者。』

覽畢，滿心歡喜道：『古人云：「行動有三分財氣。」早是不在館中呆坐。即此不必買甚調和，且把取經事寧耐一日，等老孫做個醫生耍耍。』好大聖，彎倒腰，丢了碗盞，拈一撮土，往上灑去，念聲咒語，使個隱身法，輕輕的上前揭了榜。又朝着巽地上吸口仙氣吹來，立起一陣旋風將人都吹散，他却回身，徑到八戒站處，衹見那呆子嘴拄着墻根，却是睡着了一般。行者更不驚他，將榜文折了，輕輕揣在他懷裏，拽轉步，先往會同館去了不題。

却説那樓下衆人，見風起時，各各蒙頭閉眼。不覺風過時，没了皇榜，衆皆悚懼。那榜原有十二個太監，十二個校尉，早朝領出。才挂不上三個時辰，被風吹去，戰兢兢左右追尋。忽見猪八戒懷中露出個紙邊兒來，衆人近前道：『你揭了榜來耶？』那呆子猛抬頭，把嘴一撅，唬得那幾個校尉，踉踉蹌蹌，跌倒在地。他却轉身要走，又被面前幾個膽大的扯住道：『你揭了招醫的皇榜，還不進朝醫治我萬歲去，却待何往？』那呆子慌慌張張道：『你兒子便揭了皇榜，你孫子便會醫治。』校尉道：『你懷中揣的是甚？』呆子却纔低頭看時，真個有一張字紙。展開一看，咬着牙駡道：『那猢猻害殺我也！』恨一聲，便要扯破，早被衆人架住道：『你是死了！此乃當今國王出的榜文，誰敢扯壞？你既揭在懷中，必有醫國之手，快同我去！』八戒喝道：『汝等不知。這榜不是我揭的，是我師兄孫悟空揭的。他暗暗揣在我懷中，他却丢下我去了。若得此事明白，我與你尋他去。』衆人道：『説甚麽亂話！「現鐘不打打鑄鐘」？你現揭了榜文，教我們尋誰！不管你，扯了去見主上！』那伙人不分清白，將呆子推推扯扯。這呆子立定脚，就如生了根一般，十來個人也弄他不動。八戒道：『汝等不知高低！再扯一會，扯得我呆性子發了，你却休怪！』

不多時，鬧動了街坊，將他圍繞。内有兩個年老的太監道：『你這相貌稀奇，聲音不對，是那裏來的，這般村强？』八戒道：『我們是東土差往西天取經的。我師父乃唐王御弟法師，却纔入朝，倒换關文去了。我與師兄來此買辦調和，我見樓下人多，未曾敢去，是我師兄教我在此等候。他原來見有榜文，弄陣旋風揭了，暗揣我懷内，先去了。』那太監道：『我先前見個白面胖和尚，徑奔朝門而去，想就是你師父？』八戒道：『正是，正是。』太監道：『你師兄往那裏去了？』八戒道：『我們一行四衆。師父去倒换關文，我三衆并行囊、馬匹俱歇在會同館。師兄弄了我，他先回館中去了。』太監道：『校尉，不要扯他。我等同到館中，便知端的。』八戒道：『你這兩個奶奶知事。』衆校尉道：『這和尚委不識貨！怎麽趕着公公叫起奶奶來耶？』八戒笑道：『不羞！你這反了陰陽的！他二位老媽媽兒，不叫他做婆婆、奶奶，倒叫他做公公！』衆人道：『莫弄嘴，快尋你師兄去。』

那街上人吵吵鬧鬧，何止三五百，共扛到館門首。八戒道：『列位住了。我師兄却不比我任你們作戲。他却是個猛烈認真之士。汝等見了，須要行個大禮，叫他聲「孫老爺」，他就招架了。不然啊，他就變了嘴臉，這事却弄不成也。』衆太監、校尉俱道：『你師兄果有手段，醫好國王，他也該有一半江山，我等合該下拜。』

那些閑雜人都在門外喧嘩。八戒領着一行太監、校尉，徑入館中。衹聽得行者與沙僧在客房裏正説那揭榜之事耍笑哩。八戒上前扯住，亂嚷道：『你可成個人！哄我去買素麵、燒餅、饃饃我吃，原來都是空頭！又弄旋風，揭了甚麽皇榜，暗暗的揣在我懷裏，拿我裝胖！這可成個弟兄！』行者笑道：『你這呆子，想是錯了路，走向别處去。我過鼓樓，買了調和，急回來尋你不見，我先來了。在那裏揭甚皇榜？』八戒道：『現有看榜的官員在此。』説不了，衹見那幾個太監、校尉朝上禮拜道：『孫老爺，今日我王有緣，天遣老爺下降，是必大展經綸手，微施三折肱。治得我王病愈，江山有分，社稷平分也。』行者聞言，正了聲色，接了八戒的榜文，對衆道：『你們想是看榜的官麽？』太監叩頭道：『奴婢乃司禮監内臣。這幾個是錦衣校尉。』行者道：『這招醫榜，委是我揭的，故遣我師弟

引見。既然你主有病，常言道：「藥不跟賣，病不討醫。」你去教那國王親來請我。我有手到病除之功。」太監聞言，無不驚駭。校尉道：「口出大言，必有度量。我等着一半在此啞請，着一半入朝啓奏。」

當分了四個太監，六個校尉，更不待宣召，徑入朝，當階奏道：「主公萬千之喜！」那國王正與三藏膳畢清談，忽聞此奏，問道：「喜自何來？」太監奏道：「奴婢等早領出招醫皇榜，鼓樓下張挂，有東土大唐遠來取經的一個聖僧孫長老揭了，現在會同館內，要王親自去請他，他有手到病除之功，故此特來啓奏。」國王聞言，滿心歡喜，就問唐僧道：「法師有幾位高徒？」三藏合掌答曰：「貧僧有三個頑徒。」國王問：「那一位高徒善醫？」三藏道：「實不瞞陛下説，我那頑徒，俱是山野庸才，衹會挑包背馬，轉澗尋波，帶領貧僧登山踄嶺，或者到峻險之處，可以伏魔擒怪，捉虎降龍而已；更無一個能知藥性者。」國王道：「法師何必太謙？朕當今日登殿，幸遇法師來朝，誠天緣也。高徒既不知醫，他怎肯揭我榜文，教寡人親迎？斷然有醫國之能也。」叫：「文武衆卿，寡人身虚力怯，不敢乘輦，汝等可替寡人，俱到朝外，敦請孫長老，看朕之病。汝等見他，切不可輕慢，稱他做「神僧孫長老」，皆以君臣之禮相見。」

那衆臣領旨，與看榜的太監、校尉徑至會同館，排班參拜。唬得那八戒躲在厢房，沙僧閃于壁下。那大聖，看他坐在當中，端然不動。八戒暗地裏怨惡道：「這猢猻活活的折殺也！怎麽這許多官員禮拜，更不還禮，也不站將起來！」不多時，禮拜畢，分班啓奏道：「上告神僧孫長老，我等俱朱紫國王之臣，今奉王旨，敬以潔禮參請神僧，入朝看病。」行者方纔立起身來，對衆道：「你王如何不來？」衆臣道：「我王身虚力怯，不敢乘輦，特令臣等行代君之禮，拜請神僧也。」行者道：「既如此説，列位請前行，我當隨至。」衆臣各依品從，作隊而走。行者整衣而起。八戒道：「哥哥，切莫攀出我們來。」行者道：「我不攀你，衹要你兩個與我收藥。」沙僧道：「收甚麽藥？」行者道：「凡有人送藥來與我，照數收下，待我回來取用。」二人領諾不題。

這行者即同多官，頃刻便到。衆臣先走，奏知那國王，高捲珠簾，閃龍睛鳳目，開金口御言，便問：「那一位是神僧孫長老？」行者進前一步，厲聲道：「老孫便是。」那國王聽得聲音兇狠，又見相貌刁鑽，唬得戰兢兢，跌在龍床之上。慌得那女官内宦，急扶入宫中。道：「唬殺寡人也！」衆官都嗔怨行者道：「這和尚怎麽這等粗魯村疏！怎敢就擅揭榜！」

行者聞言，笑道：「列位錯怪了我也。若像這等慢人，你國王之病，就是一千年也不得好。」衆臣道：「人生能有幾多陽壽？就一千年也還不好？」行者道：「他如今是個病君，死了是個病鬼，再轉世也還是個病人，却不是一千年也還不好？」衆臣怒曰：「你這和尚，甚不知禮！怎麽敢這等滿口胡柴！」行者笑道：「不是胡柴。你都聽我道來：

醫門理法至微玄，大要心中有轉旋。望聞問切四般事，缺一之時不備全：第一望他神氣色，潤枯肥瘦起和眠；第二聞聲清與濁，聽他真語及狂言；三問病原經幾日，如何飲食怎生便；四才切脉明經絡，浮沉表裏是何般。我不望聞并問切，今生莫想得安然。」

那兩班文武叢中，有太醫院官，一聞此言，對衆稱揚道：「這和尚也説得有理。就是神仙看病，也須望、聞、問、切，謹合着神聖功巧也。」衆官依此言，着近侍傳奏道：「長老要用望、聞、問、切之理，方可認病用藥。」那國王睡在龍床上，聲聲唤道：「叫他去罷！寡人見不得生人面了！」近侍的出宫來道：「那和尚，我王旨意，教你去罷，見不得生人面哩。」行者道：「若見不得生人面啊，我會『懸絲診脉』。」衆官暗喜道：「懸絲診脉，我等耳聞，不曾眼見。再奏去來。」那近侍的又入宫奏道：「主公，那孫長老不見主公之面，他會懸絲診脉。」國王心中暗想道：「寡人病了三年，未曾試此，宣他進來。」近侍的即忙傳出道：「主公已許他懸絲診脉，快宣孫長老進宫診視。」

行者却就上了寶殿。唐僧迎着駡道：「你這潑猴，害了我也！」行者笑道：「好師父，我倒與你壯觀，你返

說我害你？」三藏喝道：「你跟我這幾年，那曾見你醫好誰來！你連藥性也不知，醫書也未讀，怎麽大膽撞這個大禍！」行者笑道：「師父，你原來不曉得。我有幾個草頭方兒，能治大病，管情醫得他好便是。就是醫殺了，也祇問得個庸醫殺人罪名，也不該死，你怕怎的！不打緊，不打緊，你且坐下，看我的脉理如何。」長老又道：「你那曾見《素問》、《難經》、《本草》、《脉訣》，是甚般章句，怎生註解，就這等胡說散道，會甚麽懸絲診脉！」行者笑道：「我有金綫在身，你不曾見哩。」即伸手下去，尾上拔了三根毫毛，捻一把，叫聲「變！」即變作三條絲綫，每條各長二丈四尺，按二十四氣，托于手內，對唐僧道：「這不是我的金綫？」近侍宦官在旁道：「長老且休講口，請入宮中診視去來。」行者別了唐僧，隨着近侍入宮看病。正是那：

心有秘方能治國，內藏妙訣注長生。

畢竟這去不知看出甚麽病來，用甚麽藥品。欲知端的，且聽下回分解。

總批：

三藏真是個痴和尚。如今的醫生，那一個是知藥性、讀醫書的？說甚麽《素問》、《難經》、《本草》、《脉訣》！

又批：

『如今是個病君，死了是個病鬼，再轉世還是個病人』，極說得好。人有病痛急去醫，噫，此所以今世多病人也。

第六十九回　心主夜間修藥物　君王筵上論妖邪

話表孫大聖同近侍宦官，到于皇宮內院，直至寢宮門外立定。將三條金綫與宦官拿入裏面，吩咐：『教內宮妃後，或近侍太監，先繫在聖躬左手腕下，按寸、關、尺三部上，却將綫頭從窗櫺兒穿出與我。』真個那宦官依此言，請國王坐在龍床，按寸、關、尺，以金綫一頭繫了，一頭理出窗外。

行者接了綫頭，以自己右手大指先托着食指，看了寸脉；次將中指按大指，看了關脉；又將大指托定無名指，看了尺脉；調停自家呼吸，分定四氣、五鬱、七表、八里、九候、浮中沉、沉中浮，辨明了虛實之端；又教解下左手，依前繫在右手腕下部位。行者即以左手指，一一從頭診視畢，却將身抖了一抖，把金綫收上身來。厲聲高呼道：『陛下左手寸脉强而緊，關脉濇而緩，尺脉芤且沉；右手寸脉浮而滑，關脉遲而結，尺脉數而牢。夫左寸强而緊者，中虛心痛也；關濇而緩者，汗出肌麻也；尺芤而沉者，小便赤而大便帶血也。右手寸脉浮而滑者，內結經閉也；關遲而結者，宿食留飲也；尺數而牢者，煩滿虛寒相持也。診此貴恙：是一個驚恐憂思，號爲「雙鳥失群」之證。』那國王在內聞言，滿心歡喜。打起精神，高聲應道：『指下明白！指下明白！果是此疾！請出外面用藥來也。』

大聖却纔緩步出宫。早有在旁看見的太監，已先對衆報知。須臾，行者出來，唐僧即問如何。行者道：『診了脉，如今對證製藥哩。』衆官上前道：『神僧長老，適纔説「雙鳥失群」之證，何也？』行者笑道：『有雌雄二鳥，原在一處同飛；忽被暴風驟雨驚散，雌不能見雄，雄不能見雌，雌乃想雄，雄亦想雌：這不是「雙鳥失群」也？』衆官聞説，齊聲喝采道：『真是神僧！真是神醫！』稱讚不已。當有太醫官問道：『病勢已看出矣，但不知用何藥治之？』行者道：『不必執方，見藥就要。』醫官道：『經云：「藥有八百八味，人有四百四病。」病不在一人之身，藥豈有全用之理！如何見藥就要？』行者道：『古人云：「藥不執方，合宜而用。」故此全徵藥品，而隨便加減也。』那醫官不復再言。即出朝門之外，差本衙當值之人，遍曉滿城生熟藥鋪，即將藥品，每味各辦三斤，送與行者。行者道：『此間不是製藥處，可將諸藥之數并製藥一應器皿，都送入會同館，交與我師弟二人收下。』醫官聽命，即將八百八味每味三斤及藥碾、藥磨、藥羅、藥乳及乳鉢、乳槌之類都送至館中，一一交付收訖。

行者往殿上請師父同至館中製藥。那長老正自起身，急見內宮傳旨，教閣下留住法師，同宿文華殿。待明朝服藥之後，病痊酬謝，倒換關文送行。三藏大驚道：『徒弟啊，此意是留我作當頭哩。若醫得好，歡喜起送；若醫不好，我命休矣。你須仔細上心，精虔制度也！』行者笑道：『師父放心，在此受用。老孫自有醫國之手。』

好大聖，別了三藏，辭了衆臣，徑至館中。八戒迎着笑道：『師兄，我知道你了。』行者道：『你知甚麽？』八戒道：『知你取經之事不果，欲作生涯無本，今日見此處富庶，設法要開藥鋪哩。』行者喝道：『莫胡説！醫好國王，得意處辭朝走路，開甚麽藥鋪！』八戒道：『終不然，這八百八味藥，每味三斤，共計二千四百二十四斤，衹醫一人，能用多少？不知多少年代方吃得了哩！』行者道：『那裏用得許多？他那太醫院官都是些愚盲之輩，所以取這許多藥品，教他没處捉摸，不知我用的是那幾味，難識我神妙之方也。』

正説處，衹見兩個館使，當面跪下道：『請神僧老爺進晚齋。』行者道：『早間那般待我，如今却跪而請之，何也？』館使叩頭道：『老爺來時，下官有眼無珠，不識尊顔。今聞老爺大展三折之肱，治我一國之主，若主上病愈，老爺江山有分，我輩皆臣子也，禮當拜請。』行者見説，欣然登堂上坐。八戒、沙僧分坐左右。擺上齋來。沙僧便問道：『師兄，師父在那裏哩？』行者笑道：『師父被國王留住作當頭哩。衹待醫好了病，方纔酬謝送行。』沙僧又問：『可有些受用麽？』行者道：『國王豈無受用！我來時，他已有三個閣老陪侍左右，請入文華殿去也。』八戒道：『這等説，還是師父大哩。他倒有閣老陪侍，我們只得兩個館使奉承。且莫管他，讓老猪吃頓飽飯也。』兄

弟們遂自在受用一番。

天色已晚。行者叫館使：『收了傢火，多辦些油蠟，我等到夜靜時，方好製藥。』館使果送若乾油蠟，各命散訖。至半夜，天街人靜，萬籟無聲。八戒道：『哥哥，製何藥？趕早幹事。我瞌睡了。』行者道：『你將大黃取一兩來，碾爲細末。』沙僧乃道：『大黃味苦，性寒，無毒；其性沉而不浮，其用走而不守；奪諸鬱而無壅滯，定禍亂而致太平；名之曰「將軍」。此行藥耳。但恐久病虛弱，不可用此。』行者笑道：『賢弟不知。此藥利痰順氣，蕩肚中凝滯之寒熱。你莫管我。你去取一兩巴豆，去殼去膜，捶去油毒，碾爲細末來。』八戒道：『巴豆味辛，性熱，有毒；削堅積，蕩肺腑之沉寒；通閉塞，利水穀之道路；乃斬關奪門之將，不可輕用。』行者道：『賢弟，你也不知。此藥破結宣腸，能理心膨水脹。快製來。我還有佐使之味輔之也。』他二人即時將二藥碾細道：『師兄，還用那幾十味？』行者道：『不用了。』八戒道：『八百八味，每味三斤，祇用此二兩，誠爲起奪人了。』行者將一個花磁盞子，道：『賢弟莫講，你拿這個盞兒，將鍋臍灰刮半盞過來。』八戒道：『要怎的？』行者道：『藥內要用。』沙僧道：『小弟不曾見藥內用鍋灰。』行者道：『鍋灰名爲「百草霜」，能調百病，你不知道。』那呆子真個刮了半盞，又碾細了。行者又將盞子，遞與他道：『你再去把我們的馬尿等半盞來。』八戒道：『要他怎的？』行者道：『要丸藥。』沙僧又笑道：『哥哥，這事不是耍子。馬尿腥臊，如何入得藥品？我祇見醋糊爲丸，陳米糊爲丸，煉蜜爲丸，或只是清水爲丸，那曾見馬尿爲丸？那東西腥腥臊臊，脾虛的人，一聞就吐；再服巴豆、大黃，弄得人上吐下瀉，可是耍子？』行者道：『你不知就裏。我那馬，不是凡馬。他本是西海龍身。若得他肯去便溺，憑你何疾，服之即愈。但急不可得耳。』八戒聞言，真個去到馬邊。那馬斜伏地下睡哩。呆子一頓腳踢起，襯在肚下，等了半會，全不見撒尿。他跑將來，對行者說：『哥啊，且莫去醫皇帝，且快去醫醫馬來。那亡人幹結了，莫想尿得出一點兒！』行者笑道：『我和你去。』沙僧道：『我也去看看。』

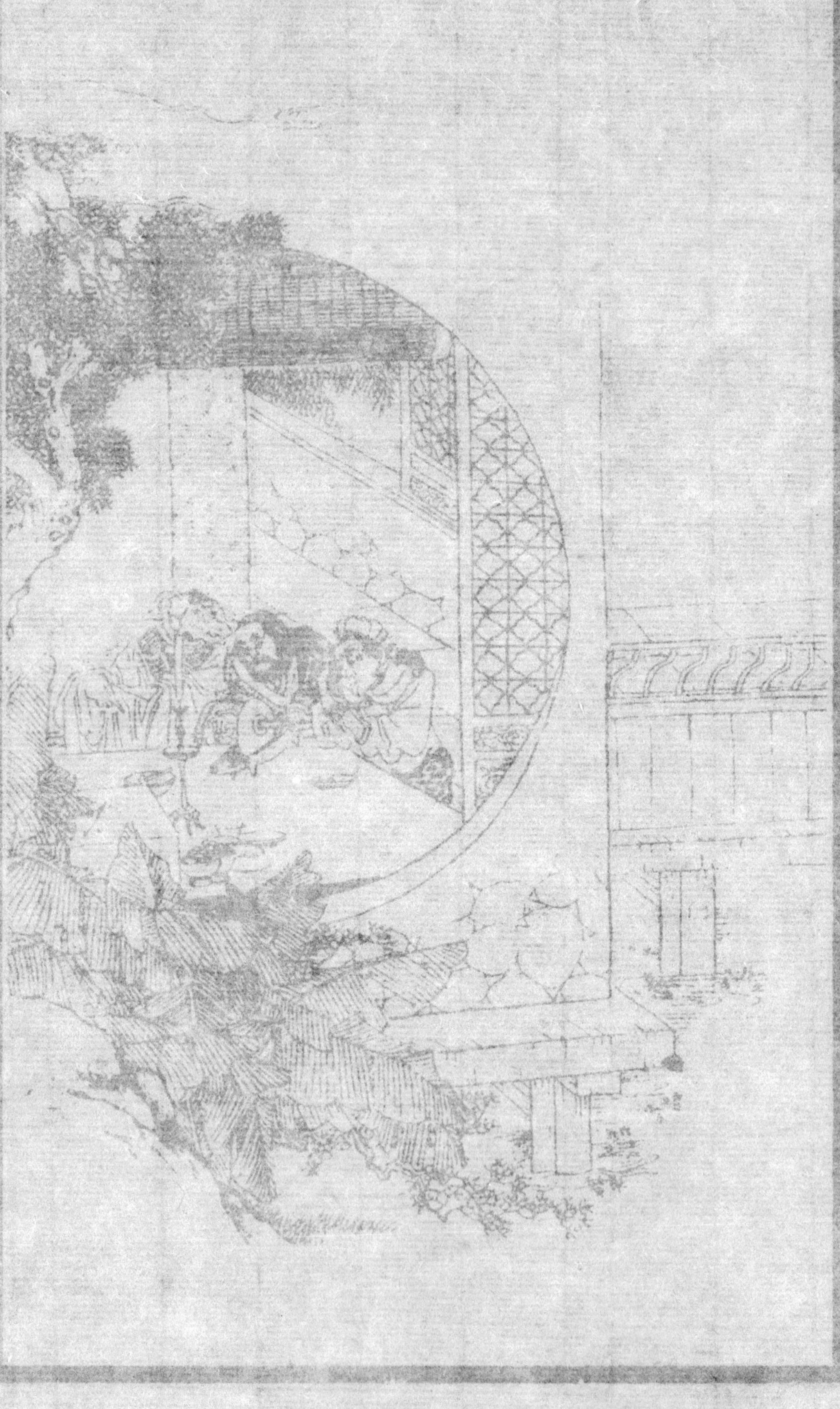

三人都到馬邊，那馬跳將起來，口吐人言，厲聲高叫道：『師兄，你豈不知？我本是西海飛龍，因爲犯了天條，觀音菩薩救了我，將我鋸了角，退了鱗，變作馬，馱師父往西天取經，將功折罪。我若過水撒尿，水中遊魚，食了成龍；過山撒尿，山中草頭得味，變作靈芝，仙僮采去長壽；我怎肯在此塵俗之處輕抛却也？』行者道：『兄弟謹言。此間乃西方國王，非塵俗也，亦非輕抛弃也。常言道：「衆毛攢裘。」要與本國之王治病哩。醫得好時，大家光輝。不然，恐俱不得善離此地也。』那馬才叫聲『等着。』你看他往前撲了一撲，往後蹲了一蹲，咬得那滿口牙齒支支的響亮，僅努出幾點兒，將身立起。八戒道：『這個亡人！就是金汁子，再撒些兒也罷！』那行者見有少半盞，道：『够了！够了！拿去罷。』沙僧方纔歡喜。

三人回至廳上，把前項藥餌攪和一處，搓了三個大丸子。行者道：『兄弟，忒大了。』八戒道：『衹有核桃大。若論我吃，還不够一口哩！』遂此收在一個小盒兒裏。兄弟們連衣睡下，一夜無詞。

早是天曉。却説那國王耽病設朝，請唐僧見了，即命衆官快往會同館參拜神僧孫長老取藥去。

多官隨至館中，對行者拜伏于地道：『我王特命臣等拜領妙劑。』行者叫八戒取盒兒，揭開蓋子，遞與多官。多官啓問：『此藥何名？好見王回話。』行者道：『此名「烏金丹」。』八戒二人，暗中作笑道：『鍋灰拌的，怎麽不是烏金！』多官又問道：『用何引子？』行者道：『藥引兒兩般都下得。有一般易取者，乃六物煎湯送下。』多官問：『是何六物？』行者道：

『半空飛的老鴉屁，緊水負的鯉魚尿，王母娘娘搽臉粉，老君爐裏煉丹灰，玉皇戴破的頭巾要三塊，還要五根困龍鬚：六物煎湯送此藥，你王憂病等時除。』

多官聞言道：『此物乃世間所無者。請問那一般引子是何？』行者道：『用無根水送下。』衆官笑道：『這個易取。』行者道：『怎見得易取？』多官道：『我這裏人家俗論：若用無根水，將一個碗盞，到井邊，或河下，舀了水，急轉步，更不落地，亦不回頭，到家與病人吃藥，便是。』行者道：『井中河内之水，俱是有根的。我這無根水，非此之論，乃是天上落下者，不沾地就吃，才叫做「無根水」。』多官又道：『這也容易。等到天陰下雨時，再吃藥便罷了。』遂拜謝了行者，將藥持回獻上。

國王大喜，即命近侍接上來。看了道：『此是甚麽丸子？』多官道：『神僧説是「烏金丹」，用無根水送下。』國王便教宫人取無根水。衆官道：『神僧説，無根水不是井河中者，乃是天上落下不沾地的才是。』國王即喚當駕官傳旨，教請法官求雨。衆官遵依出榜不題。

却説行者在會同館廳上，叫猪八戒道：『適間允他天落之水，才可用藥，此時急忙，怎麽得個雨水？我看這王，倒也是個大賢大德之君，我與你助他些兒雨下藥，如何？』八戒道：『怎麽樣助？』行者道：『你在我左邊立下，做個輔星。』又叫沙僧，『你在我右邊立下，做個弼宿。等老孫助他些無根水兒。』好大聖，步了罡訣，念聲咒語，早見那正東上，一朵烏雲，漸近于頭頂上。叫道：『大聖，東海龍王敖廣來見。』行者道：『無事不敢捻煩，請你來助些無根水與國王下藥。』龍王道：『大聖呼喚時，不曾説用水，小龍隻身來了，不曾帶得雨器，亦未有風雲雷電，怎生降雨？』行者道：『如今用不着風雲雷電，亦不須多雨，衹要些須引藥之水便了。』龍王道：『既如此，待我打兩個噴涕，吐些涎津溢，與他吃藥罷。』行者大喜道：『最好！最好！不必遲疑，趁早行事。』

那老龍在空中，漸漸低下烏雲，直至皇宫之上，隱身潛象，噀一口津唾，遂化作甘霖。那滿朝官齊聲喝采道：『我主萬千之喜！天公降下甘雨來也！』國王即傳旨，教：『取器皿盛着。不拘宫内外及官大小，都要等貯仙水，拯救寡人。』你看那文武多官併三宫六院妃嬪與三千彩女，八百嬌娥，一個個擎杯托盞，舉碗持盤，等接甘雨。那老龍在半空，運化津涎，不離了王宫前後。將有一個時辰，龍王辭了大聖回海。衆臣將杯盂碗盞收來，也有等着一點兩點者，也有等着三點五點者，也有一點不曾等着者，共合一處，約有三盞之多，總獻至御案。真個是异香

東宮稱爲玉聖宮，西宮稱爲銀聖宮。現今祇有銀、玉二後在宮。』行者道：『金聖宮因何不在宮中？』國王滴泪道：『不在已三年矣。』行者道：『向那厢去了？』國王道：『三年前，正值端陽之節，朕與嬪後都在御花園海榴亭下解粽插艾，飲菖蒲雄黄酒，看鬥龍舟。忽然一陣風至，半空中現出一個妖精，自稱賽太歲，説他在麒麟山獬豸洞居住，洞中少個夫人，訪得我金聖宮生得貌美姿嬌，要做個夫人，教朕快早送出。如若三聲不獻出來，就要先吃寡人，後吃衆臣，將滿城黎民，盡皆吃絶。那時節，朕却憂國憂民，無奈，將金聖宮推出海榴亭外，被那妖響一聲攝將去了。寡人爲此着了驚恐，吃那粽子，凝滯在内；况又晝夜憂思不息，所以成此苦疾三年。今得神僧靈丹服後，行了數次，盡是那三年前積滯之物，所以這會體健身輕，精神如舊。今日之命，皆是神僧所賜，豈但如泰山之重而已乎！』

行者聞得此言，滿心喜悦，將那巨觥之酒，兩口吞之，笑問國王曰：『陛下原來是這般驚憂！今遇老孫，幸而獲愈。但不知可要金聖宮回國？』那國王滴泪道：『朕切切思思，無晝無夜，但只是没一個能獲得妖精的。豈有不要他回國之理！』行者道：『我老孫與你去伏妖邪，何如？』國王跪下道：『若救得朕後，朕願領三宮九嬪，出城爲民，將一國江山，盡付神僧，讓你爲帝。』八戒在旁，見出此言，行此禮，忍不住呵呵大笑道：『這皇帝失了體統！怎麽爲老婆就不要江山，跪着和尚？』行者急上前，將國王攙起道：『陛下，那妖精自得金聖宮去後，這一向可曾再來？』國王道：『他前年五月節攝了金聖宮，至十月間來，要取兩個宮娥，是説伏侍娘娘，朕即獻出兩個。至舊年三月間，又來要兩個宮娥；七月間，又要去兩個；今年二月裏，又要去兩個；不知到幾時又要來也。』行者道：『似他這等頻來，你們可怕他麽？』國王道：『寡人見他來得多遭，一則懼怕，二來又恐有傷害之意，舊年四月内，是朕命工起了一座避妖樓，但聞風響，知是他來，即與二後、九嬪，入樓躲避。』行者道：『陛下不弃，可携老孫去看那避妖樓一番，何如？』那國王即將左手携着行者出席。衆官亦皆起身。猪八戒道：『哥哥，你不達理！這般御酒不吃，摇席破坐的，且去看甚麽哩？』國王聞説，情知八戒是爲嘴，即命當駕官抬兩張素桌面，看酒在避妖樓外伺候。呆子却纔不嚷，同師父、沙僧笑道：『翻席去也。』

一行文武官引導，那國王併行者相攙，穿過皇宮到了御花園後，更不見樓臺殿閣。行者道：『避妖樓何在？』説不了，祇見兩個太監，拿兩根紅漆扛子，往那空地上掬起一塊四方石板。國王道：『此間便是。這底下有三丈多深，挖成的九間朝殿。内有四個大缸，缸内滿注清油，點着燈火，晝夜不息。寡人聽得風響，就入裏邊躲避，外面着人蓋上石板。』行者笑道：『那妖精還是不害你；若要害你，這裏如何躲得？』正説間，祇見那正南上，呼呼的吹得風響，播土揚塵。唬得那多官齊聲報怨道：『這和尚鹽醬口，講起甚麽妖精，妖精就來了！』慌得那國王丢了行者，即鑽入地穴。唐僧也就跟入。衆官亦躲個乾净。

八戒、沙僧也都要躲，被行者左右手扯住他兩個道：『兄弟們，不要怕得。我和你認他一認，看是個甚麽妖精。』八戒道：『可是扯淡！認他怎的？衆官躲了，師父藏了，國王避了，我們不去了罷，炫的是那家世！』那呆子左掙右掙，掙不得脱手，被行者拿定多時，祇見那半空裏閃出一個妖精。你看他怎生模樣：

九尺長身多惡獰，一雙環眼閃金燈。兩輪查耳如撑扇，四個鋼牙似插釘。鬢繞紅毛眉竪焰，鼻垂糟準孔開明。髭髯幾縷硃砂綫，顴骨崚嶒滿面青。兩臂紅筋藍靛手，十條尖爪把槍擎。豹皮裙子腰間繫，赤脚蓬頭若鬼形。

行者見了道：『沙僧，你可認得他？』沙僧道：『我又不曾與他相識，那裏認得！』又問：『八戒，你可認得他？』八戒道：『我又不曾與他會茶會酒，又不是賓朋鄰里，我怎麽認得他！』行者道：『他却像東嶽天齊手下把門的那個醮面金睛鬼。』八戒道：『不是！不是！』行者道：『你怎知他不是？』八戒道：『我豈不知，鬼乃陰靈也，一日至晚，交申酉戌亥時方出。今日還在巳時，那裏有鬼敢出來？就是鬼，也不會駕雲。縱會弄風，也只是一陣旋風耳，有這等狂風？或者他就是賽太歲也。』行者笑道：『好呆子！倒也有些論頭！既如此説，你兩個

滿襲金鑾殿，佳味熏飄天子庭！

那國王辭了法師，將着『烏金丹』併甘雨至宮中，先吞了一丸，吃了一盞甘雨；三次，三丸俱吞了，三盞甘雨俱送下。不多時，腹中作響，如轆轤之聲不絕，即取净桶，連行了三五次，服了些米飲，倒在龍床之上。有兩個妃子，將净桶撿看，說不盡那穢污痰涎，內有糯米飯塊一團。妃子近龍床前來報：『病根都行下來也！』國王聞此言，甚喜，又進一次米飯。少頃，漸覺心胸寬泰，氣血調和，就精神抖擻，脚力强健。下了龍床，穿上朝服，即登寶殿，見了唐僧，輒倒身下拜。那長老忙忙還禮。拜畢，以御手攙着，便教閣下：『快具簡帖，帖上寫朕「再拜頓首」字樣，差官奉請法師高徒三位。一壁厢大開東閣，光禄寺排宴酬謝。』多官領旨，具簡的具簡，排宴的排宴，正是國家有倒山之力，霎時俱完。

却說八戒見官投簡，喜不自勝道：『哥啊，果是好妙藥！今來酬謝，乃兄長之功。』沙僧道：『二哥說那裏話！常言道：「一人有福，帶挈一屋。」我們在此合藥，俱是有功之人。祇管受用去，再休多話。』咦！你看他弟兄們俱歡歡喜喜，徑入朝來。

衆官接引，上了東閣，早見唐僧、國王、閣老，已都在那裏安排筵宴哩。這行者與八戒、沙僧，對師父唱了個喏，隨後衆官都至。祇見那上面有四張素桌面，都是吃一看十的筵席；前面有一張葷桌面，也是吃一看十的珍饈。左右有四五百張單桌面，真個排得齊整：

古云：『珍饈百味，美禄千鐘。瓊膏酥酪，錦縷肥紅。』寶妝花彩艷，果品味香濃。鬥糖龍纏列獅仙，餅錠拖爐擺鳳侶。葷有猪羊鷄鵝魚鴨般般肉，素有蔬肴笋芽木耳併蘑菇。幾樣香湯餅，數次透酥糖。滑軟黄粱飯，清新菰米餬。色色粉湯香又辣，般般添换美還甜。君臣舉盞方安席，名分品級慢傳壺。

那國王御手擎杯，先與唐僧安坐。三藏道：『貧僧不會飲酒。』國王道：『素酒。法師飲此一杯，何如？』三藏道：『酒乃僧家第一戒。』國王甚不過意道：『法師戒飲，却以何物爲敬？』三藏道：『頑徒三衆代飲罷。』國王却纔歡喜，轉金巵，遞與行者。行者接了酒，對衆禮畢，吃了一杯。國王見他吃得爽利，又奉一杯。行者不辭，又吃了。國王笑道：『吃個三寶鍾兒。』行者不辭，又吃了。國王又叫斟上，『吃個四季杯兒。』

八戒在旁，見酒不到他，忍得他嚥嚥咽唾；又見那國王苦勸行者，他就叫將起來道：『陛下，吃的藥也虧了我，那藥裏有馬……』這行者聽說，恐怕呆子走了消息，却將手中酒遞與八戒，八戒接着就吃，却不言語。國王問道：『神僧說藥裏有馬，是甚麽馬？』行者接過口來道：『我這兄弟，是這般口敞。但有個經驗的好方兒，他就要說與人。陛下早間吃藥，內有馬兜鈴。』國王問衆官道：『馬兜鈴是何品味？能醫何證？』時有太醫院官在旁道：『主公：

兜鈴味苦寒無毒，定喘消痰大有功。
通氣最能除血蠱，補虚寧嗽又寬中。』

國王笑道：『用得當！用得當！猪長老再飲一杯。』呆子亦不言語，却也吃了個三寶鍾。國王又遞了沙僧酒，也吃了三杯，却俱叙坐。

飲宴多時，國王又擎大爵，奉與行者。行者道：『陛下請坐。老孫依巡痛飲，决不敢推辭。』國王道：『神僧恩重如山，寡人酬謝不盡。好歹進此一巨觥，朕有話說。』行者道：『有甚話說了，老孫好飲。』國王道：『寡人有數載憂疑病，被神僧一貼靈丹打通，所以就好了。』行者笑道：『昨日老孫看了陛下，已知是憂疑之疾，但不知憂驚何事？』國王道：『古人云：「家醜不可外談。」奈神僧是朕恩主，惟不笑，方可告之。』行者道：『怎敢笑話，請說無妨。』國王道：『神僧東來，不知經過幾個邦國？』行者道：『經有五六處。』又問：『他國之後，不知是何稱呼。』行者道：『國王之後，都稱爲正宮、東宮、西宮。』國王道：『寡人不是這等稱呼：將正宮稱爲金聖宮，

豈有他意！』

國王更十分歡喜加敬。即請三藏四衆，同上寶殿，就有推位讓國之意。行者笑道：『陛下，才那妖精，他稱是賽太歲部下先鋒，來此取宮女的。他如今戰敗而回，定然報與那廝。那廝定要來與我相爭。我恐他一時興師帥衆，未免又驚傷百姓，恐唬陛下。欲去迎他一迎，就在那半空中擒了他，取回聖後。但不知向那方去，這裏到他那山洞有多少遠近？』國王道：『寡人曾差「夜不收」軍馬到那裏探聽聲息，往來要行五十餘日。坐落南方，約有三千餘裏。』行者聞言，叫：『八戒、沙僧，護持在此，老孫去來。』國王扯住道：『神僧且從容一日，待安排些乾糧烘炒，與你些盤纏銀兩，選一匹快馬，方纔可去。』行者笑道：『陛下說得是巴山轉嶺步行之話。我老孫不瞞你說，似這三千里路，斟酒在鍾不冷，就打個往回。』國王道：『神僧，你不要怪我說。你這尊貌，却像個猿猴一般，怎生有這等法力會走路也？』行者道：

『我身雖是猿猴數，自幼打開生死路。遍訪明師把道傳，山前修煉無朝暮。倚天爲頂地爲爐，兩般藥物團烏兔。采取陰陽水火交，時間頓把玄關悟。全仗天罡搬運功，也憑鬥柄遷移步。退爐進火最依時，抽鉛添汞相交顧。攢簇五行造化生，合和四象分時度。二氣歸于黃道間，三家會在金丹路。悟通法律歸四肢，本來筋斗如神助。一縱縱過太行山，一打打過淩雲渡。何愁峻嶺幾千重，不怕長江百十數。衹因變化没遮攔，一打十萬八千路！』

那國王見說，又驚又喜，笑吟吟捧着一杯御酒遞與行者道：『神僧遠勞，進此一杯引意。』這大聖一心要去降妖，那裏有心吃酒，衹叫：『且放下，等我去了回來再飲。』好行者，說聲去，唿哨一聲，寂然不見。那一國君臣，皆驚訝不題。

却說行者將身一縱，早見一座高山，阻住霧角。即按雲頭，立在那巔峰之上。仔細觀看，好山：

衝天佔地，礙日生雲。衝天處，尖峰矗矗；佔地處，遠脉迢迢。礙日的，乃嶺頭松鬱鬱；生雲的，乃崖下石磷磷。

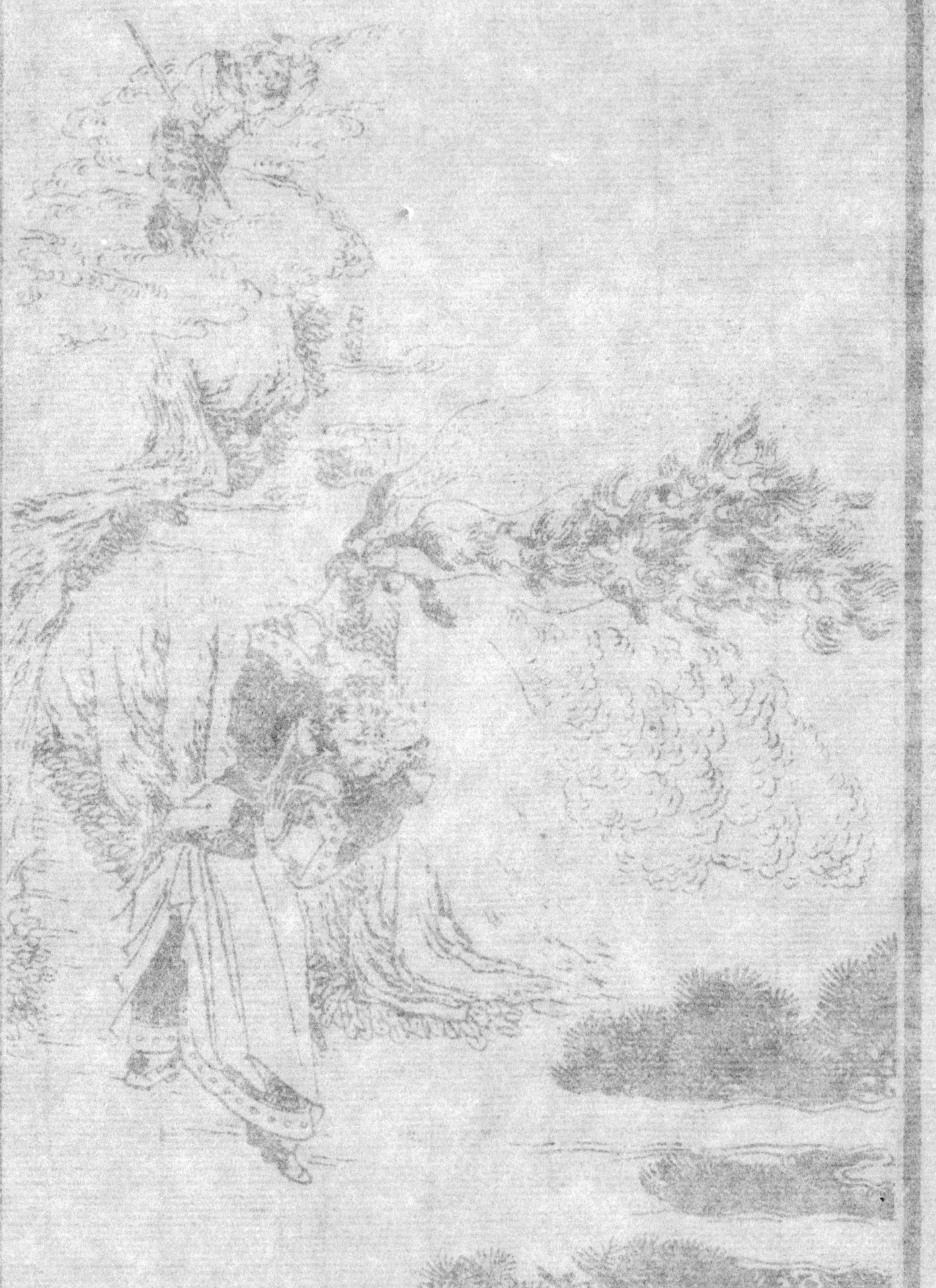

松鬱鬱，四時八節常青；石磷磷，萬載千年不改。林中每聽夜猿啼，澗內常聞妖蟒過。山禽聲咽咽，山獸吼呼呼。山獐山鹿，成雙作對紛紛走；山鴉山鵲，打陣攢群密密飛。山草山花看不盡，山桃山果映時新。雖然倚險不堪行，却是妖仙隱逸處。

這大聖看看不厭，正欲找尋洞口，祇見那山凹裏烘烘火光飛出，霎時間，撲天紅焰，紅焰之中冒出一股惡煙，比火更毒。好煙！但見那：

火光迸萬點金燈，火焰飛千條紅虹。那煙不是竈筒煙，不是草木煙，煙却有五色：青紅白黑黃。熏着南天門外柱，燎着靈霄殿上梁。燒得那窩中走獸連皮爛，林中飛禽羽盡光。但看這煙如此惡，怎入深山伏怪王！

大聖正自恐懼，又見那山中迸出一道沙來。好沙，真個是遮天蔽日！你看：

紛紛絯絯遍天涯，鄧鄧渾渾大地遮。細塵到處迷人目，粗灰滿谷滾芝麻。采藥仙僮迷失伴，打柴樵子沒尋家。手中就有明珠現，時間刮得眼生花。

這行者祇顧看玩，不覺沙灰飛入鼻內，癢斯斯的，打了兩個噴嚏，即回頭伸手，在岩下摸了兩個鵝卵石，塞住鼻子，搖身一變，變做一個攢火的鷂子，飛入煙火中間，驀了幾驀，却就沒了沙灰，煙火也息了。急現本像下來。又看時，祇聽得丁丁東東的，一個銅鑼聲響。却道：「我走錯了路也！這裏不是妖精住處。鑼聲似鋪兵之鑼。想是通國的大路，有鋪兵去下文書。且等老孫去問他一問。」

正走處，忽見是個小妖兒，擔着黃旗，揹着文書，敲着鑼兒，急走如飛而來。行者笑道：「原來是這廝打鑼。他不知送的是甚麼書信，等我聽他一聽。」好大聖，搖身一變，變做個猛蟲兒，輕輕的飛在他書包之上。祇聽得那妖精敲着鑼，緒緒聒聒的自念自誦道：「我家大王，忒也心毒。三年前到朱紫國强奪了金聖皇后，一向無緣，未得霑身，祇苦了要來的宮女頂缸。兩個來弄殺了，四個來也弄殺了。前年要了，去年又要，今年又要，今年還要，却撞個對頭來了。那個要宮女的先鋒被個甚麼孫行者打敗了，不發宮女。我大王因此發怒，要與他國爭持，教我去下甚麼戰書。這一去，那國王不戰則可，戰必不利。我大王使煙火飛沙，那國王君臣百姓等，莫想一個得活。那時我等佔了他的城池，大王稱帝，我等稱臣，雖然也有個大小官爵，只是天理難容也！」

行者聽了，暗喜道：「妖精也有存心好的。似他後邊這兩句話說，『天理難容』，却不是個好的？但祇說金聖皇后一向無緣，未得霑身，此話却不解其意。等我問他一問。」嚶的一聲，一翅飛離了妖精，轉向前路，有十數裏地，搖身一變，又變做一個道童：

頭挽雙抓髻，身穿百衲衣。手敲魚鼓簡，口唱道情詞。

轉山坡，迎着小妖，打個起手道：「長官，那裏去？送的是甚麼公文？」那妖物就像認得他的一般。住了鑼槌，笑嘻嘻的還禮道：「我大王差我到朱紫國下戰書的。」行者接口問道：「朱紫國那話兒，可曾與大王配合哩？」小妖道：「自前年攝得來，當時就有一個神仙，送一件五彩仙衣與金聖宮妝新。他自穿了那衣，就渾身上下都生了針刺，我大王摸也不敢摸他一摸。但挽着些兒，手心就痛，不知是甚緣故。自始至今，尚未霑身。早間差先鋒去要宮女伏侍，被一個甚麼孫行者戰敗了。大王奮怒，所以教我去下戰書，明日與他交戰也。」行者道：「怎的大王却着惱呵？」小妖道：「正在那裏着惱哩。你去與他唱個道情詞兒解解悶也好。」

行者拱手抽身就走。那妖依舊敲鑼前行。行者就行起兇來，掣出棒，復轉身，望小妖腦後一下，可憐就打得頭爛血流漿迸出，皮開頸折命傾之！收了棍子，却又自悔道：「急了些兒！不曾問他叫做甚麼名字，罷了！」却去取下他的戰書，藏于袖內；將他黃旗、銅鑼，藏在路旁草裏；因扯着脚要往澗下時，祇聽噹的一聲，腰間露出一個鑲金的牙牌。牌上有字，寫道：

『心腹小校一名，有來有去。五短身材，扢撻臉，無須。長川懸掛，無牌即假。』

護持在此，等老孫去問他個名號，好與國王救取金聖宮來朝。」八戒道：「你去自去，切莫供出我們來。」行者昂然不答，急縱祥光，跳將上去。咦！正是：

安邦先却君王病，守道須除愛惡心。

畢竟不知此去，到于空中，勝敗如何，怎麼擒得妖怪，救得金聖宮，且聽下回分解。

總批：

今日也不少大黃、巴豆醫生。○或有以大黃、巴豆、鍋灰、馬尿爲秘方者，亦未可知。

第七十回 妖魔寶放煙沙火 悟空計盜紫金鈴

却說那孫行者抖擻神威，持着鐵棒，踏祥光，起在空中，迎面喝道：「你是那裏來的邪魔，待往何方猖獗！」那怪物厲聲高叫道：「吾黨不是別人，乃麒麟山獬豸洞賽太歲大王爺爺部下先鋒。今奉大王令，到此取宮女二名，伏侍金聖娘娘。你是何人，敢來問我！」行者道：「吾乃齊天大聖孫悟空。因保東土唐僧西天拜佛，路過此國，知你這伙邪魔欺主，特展雄才，治國祛邪。正没處尋你，却來此送命！」那怪聞言，不知好歹，展長槍就刺行者。行者舉鐵棒劈面相迎。在半空裏這一場好殺：

棍是龍宮鎮海珍，槍乃人間轉煉鐵。凡兵怎敢比仙兵，擦着些兒神氣泄。大聖原來太乙仙，妖精本是邪魔孽。鬼祟焉能近正人，一正之時邪就滅。那個弄風播土唬皇王，這個踏霧騰雲遮日月。丟開架手賭輸贏，無能誰敢誇豪杰！還是齊天大聖能，乒乓一棍槍先折。

那妖精被行者一鐵棒把根槍打做兩截，慌得顧性命，撥轉風頭，徑往西方敗走。

行者且不趕他，按下雲頭，來至避妖樓地穴之外，叫道：「師父，請同陛下出來。怪物已趕去矣。」那唐僧才扶着君王，同出穴外。見滿天清朗，更無妖邪之氣。

那皇帝即至酒席前，自己拿壺把盞，滿斟金杯，奉與行者道：「神僧，權謝！權謝！」這行者接杯在手，還未回言，衹聽得朝門外有官來報：「西門上火起了！」行者聞說，將金杯連酒望空一撇，當的一聲響亮，那個金杯落地。君王着了忙，躬身施禮道：「神僧，恕罪！恕罪！是寡人不是了！禮當請上殿拜謝，衹因有這方便酒在此，故就奉耳。神僧却把杯子撇了，却不是有見怪之意？」行者笑道：「不是這話，不是這話。」少頃間，又有官來報：「好雨呀！才西門上起火，被一場大雨，把火滅了。滿街上流水，盡都是酒氣。」行者又笑道：「陛下，你見我撇杯，疑有見怪之意，非也。那妖敗走西方，我不曾趕他，他就放起火來。這一杯酒，却是我滅了妖火，救了西城裏外人家，

行者笑道：「這厮名字叫做有來有去，這一棍子，打得『有去無來』也！」將牙牌解下，帶在腰間，欲要下屍骸，却又思量起煙火之毒，且不敢尋他洞府，即將棍子舉起，着小妖胸前搗了一下，挑在空中，徑回本國，且當報一個頭功。你看他自思自念，唿哨一聲，到了國界。

那八戒在金鑾殿前，正護持着王、師，忽回頭看見行者半空中將個妖精挑來，他却怨道：「噯！不打緊的買賣！早知老猪去拿來，却不算我一功？」說未畢，行者按落雲頭，將妖精在階下。八戒跑上去，就築了一鈀道：「此是老猪之功！」行者道：「是你甚功？」八戒道：「莫賴我！我有證見！你不看一鈀築了九個眼子哩！」行者道：「你看看可有頭没頭。」八戒笑道：「原來是没頭的！我道如何築他也不動動兒。」行者道：「師父在那裏？」八戒道：「在殿裏與王叙話哩。」行者道：「你且去請他出來。」八戒急上殿，點點頭。三藏即便起身下殿，迎着行者。行者將一封戰書，揣在三藏袖裏道：「師父收下，且莫與國王看見。」

說不了，那國王也下殿，迎着行者道：「神僧孫長老來了！拿妖之事如何？」行者用手指道：「那階下不是妖精，被老孫打殺了也？」國王見了道：「是便是個妖屍，却不是賽太歲。賽太歲寡人親見他兩次：身長丈八，膊闊五停；面似金光，聲如霹靂；那裏是這般鄙矮。」行者笑道：「陛下認得。果然不是。這是一個報事的小妖，撞見老孫，却先打死，挑回來報功。」國王大喜道：「好！好！好！該算頭功！寡人這裏常差人去打探，更不曾得個的實。似神僧一出，就捉了一個回來，真神通也！」叫：「看暖酒來！與長老賀功。」

行者道：「吃酒還是小事。我問陛下，金聖宮别時，可曾留下個甚麼表記？你與我些兒。」那國王聽說「表記」二字，却似刀劍剜心，忍不住失聲泪下，說道：

「當年佳節慶朱明，太歲兇妖發喊聲。强奪御妻爲壓寨，寡人獻出爲蒼生。更無會話併離話，那有長亭共短亭！表記香囊全没影，至今撇我苦伶仃！」

行者道：「陛下在邇，何以爲惱？那娘娘既無表記，他在宮内，可有甚麼心愛之物，與我一件也罷。」國王道：「你要怎的？」行者道：「那妖王實有神通。我見他放烟、放火、放沙，果是難收。縱收了，又恐娘娘見我面生，不肯跟我回國。須是得他平日心愛之物一件，他方信我，我好帶他回來。爲此故要帶去。」國王道：「昭陽宮裏，梳妝閣上，有一雙黄金寶串，原是金聖宮手上帶的。衹因那日端午，要縛五色綵綫，故此褪下，不曾帶上。此乃是他心愛之物。如今現收在減妝盒裏。寡人見他遭此離别，更不忍見；一見即如見他玉容，病又重幾分也。」行者道：「且休題這話。且將金串取來。如捨得，都與我拿去；如不捨，衹拿一隻去也。」國王遂命玉聖宮取出。取出即遞與國王。國王見了，叫了幾聲「知疼着熱的娘娘」，遂遞與行者。行者接了，套在胳膊上。

好大聖，不吃得功酒，且駕筋斗雲，唿哨一聲，又至麒麟山上。無心玩景，徑尋洞府而去。正行時，衹聽得人語喧嚷，即佇立凝睛觀看。原來那獬豸洞口把門的大小頭目，約摸有五百名，在那裏：

森森羅列，密密挨排。森森羅列執乾戈，映日光明；密密挨排展旌旗，迎風飄閃。虎將熊師能變化，豹頭彪帥弄精神。蒼狼多猛烈，獺象更驍雄。狡兔乖獐輪劍戟，長蛇大蟒挎刀弓。猩猩能解人言語，引陣安營識汛風。

行者見了，不敢前進，抽身徑轉舊路。你道他抽身怎麼？不是怕他。他却至那打死小妖之處，尋出黄旗、銅鑼，迎風捏訣，想象騰那，即摇身一變，變做那有來有去的模樣，乒乓敲着鑼，大踏步，一直前來，徑撞至獬豸洞。正欲看看洞景，衹聞得猩猩出語道：「有來有去，你回來了？」行者只得答應道：「來了。」猩猩道：「快走！大王爺爺正在剥皮亭上等你回話哩。」行者聞言，拽開步，敲着鑼，徑入前門裏看處，原來是懸崖削壁石屋虛堂，左右有琪花瑶草，前後多古柏喬松。不覺又至二門之内，忽抬頭見一座八窗明亮的亭子，亭子中間有一張戧金的交椅，椅子上端坐着一個魔王，真個生得惡像。但見他：

幌幌霞光生頂上，威威殺氣迸胸前。口外獠牙排利刃，鬢邊焦發放火煙。嘴上髭鬚如插箭，遍體昂毛似迭氊。

眼突銅鈴欺太歲，手持鐵杵若摩天。

行者見了，公然傲慢那妖精，更不循一些兒禮法。調轉臉，朝着外，只管敲鑼。妖王問道：『你來了？』行者不答。又問：『有來有去，你來了？』也不答應。妖王上前扯住道：『你怎麼到了家還篩鑼？問之又不答，何也？』行者把鑼往地下一摜道：『甚麼「何也，何也」！我說我不去，你却教我去。行到那廂，只見無數的人馬列成陣勢，見了我，就都叫：「拿妖精！拿妖精！」把我揪揪扯扯，拽拽扛扛，拿進城去，見了那國王，國王便教「斬了」，幸虧那兩班謀士道：「兩家相爭，不斬來使。」把我饒了。收了戰書，又押出城外，對軍前打了三十順腿，放我來回話。他那裏不久就要來此與你交戰哩。』妖王道：『這等說，是你吃虧了。怪不得問你更不言語。』行者道：『却不是怎的？只爲護疼，所以不曾答應。』妖王道：『那裏有多少人馬？』行者道：『我也唬昏了，又吃他打怕了，那裏會查他人馬數目！只見那裏森森兵器擺列着：

弓箭刀槍甲與衣，乾戈劍戟併纓旗。剽槍月鏟兜鍪鎧，大斧團牌鐵蒺藜。長悶棍，短窩槌，鋼叉銃炮及頭盔。打扮得𩍐鞋護頂併胖襖，簡鞭袖彈與銅錘。』

那王聽了笑道：『不打緊！不打緊！似這般兵器，一火皆空。你且去報與金聖娘娘得知，教他莫惱。今早他聽見我發狠，要去戰鬥，他就眼淚汪汪的不幹。你如今去說那裏人馬驍勇，必然勝我，且寬他一時之心。』

行者聞言，十分歡喜道：『正中老孫之意！』你看他偏是路熟，轉過角門，穿過廳堂。那裏邊盡都是高堂大廈，更不似前邊的模樣。直到後面宮裏，遠見彩門壯麗，乃是金聖娘娘住處。直入裏面看時，有兩班妖狐、妖鹿，一個個都妝成美女之形，侍立左右。正中間坐着那個娘娘，手托着香腮，雙眸滴淚，果然是：

玉容嬌嫩，美貌妖嬈。懶梳妝，散鬢堆鴉；怕打扮，釵環不戴。面無粉，冷淡了胭脂；發無油，蓬鬆了雲鬢。努櫻唇，緊咬銀牙；皺蛾眉，淚淹星眼。一片心，只憶着朱紫君王；一時間，恨不離天羅地網。誠然是：自古紅顔多薄命，懨懨無語對東風！

行者上前打了個問訊道：『接喏。』那娘娘道：『這潑村怪，十分無狀！想我在那朱紫國中，與王同享榮華之時，那太師宰相見了，就俯伏塵埃，不敢仰視。這野怪怎麼叫聲「接喏」？是那裏來的這般村潑？』衆侍婢上前道：『太太息怒。他是大王爺爺心腹的小校，喚名有來有去。今早差下戰書的是他。』娘娘聽說，忍怒問曰：『你下戰書，可曾到朱紫國界？』行者道：『我持書直至城裏，到于金鑾殿，面見君王，已討回音來也。』娘娘道：『你面君，君有何言？』行者道：『那君王敵戰之言，與排兵佈陣之事，才與大王說了。只是那君王有思想娘娘之意，有一句合心的話兒，特來上稟。奈何左右人衆，不是說處。』

娘娘聞言，喝退兩班狐鹿。行者掩上宮門，把臉一抹，現了本像。對娘娘道：『你休怕我。我是東土大唐差往大西天天竺國雷音寺見佛求經的和尚。我師父是唐王御弟唐三藏。我是他大徒弟孫悟空。因過你國倒換關文，見你君臣出榜招醫，是我大施三折之肱，把他相思之病治好了。排宴謝我，飲酒之間，說出你被妖攝來。我會降龍伏虎，特請我來捉怪，救你回國。那戰敗先鋒是我，打死小妖也是我。我見他門外兇狂，是我變作有來有去模樣，捨身到此，與你通信。』那娘娘聽說，沉吟不語。行者取出寶串，雙手奉上道：『你若不信，看此物何來。』娘娘一見垂淚，下座拜謝道：『長老，你果是救得我回朝，没齒不忘大恩！』

行者道：『我且問你，他那放火，放煙，放沙的，是件甚麼寶貝？』娘娘道：『那裏是甚寶貝！乃是三個金鈴。他將頭一個幌一幌，有三百丈火光燒人；第二個幌一幌，有三百丈煙光熏人；第三個幌一幌，有三百丈黃沙迷人。煙火還不打緊，只是黃沙最毒。若鑽入人鼻孔，就傷了性命。』行者道：『利害！利害！我曾經着，打了兩個噴嚏。却不知他的鈴兒放在何處？』娘娘道：『他那肯放下，只是帶在腰間，行住坐卧，再不離身。』行者道：『你若有意于朱紫國，還要相會國王，把那煩惱憂愁，都且權解，使出個風流喜悅之容，與他叙個夫妻之情，教他把鈴兒

與你收貯。待我取便偷了，降了這妖怪，那時節，好帶你回去，重諧鸞鳳，共享安寧也。」那娘娘依言。

這行者還變作心腹小校，開了宮門，喚進左右侍婢。娘娘叫：「有來有去，快往前亭，請你大王來，與他說話。」好行者，應了一聲，即至剝皮亭，對妖精道：「大王，聖宮娘娘有請。」妖王歡喜道：「娘娘常時祇罵，怎麽今日有請？」行者道：「那娘娘問朱紫國王之事，是我說：『他不要你了，他國中另扶了皇后。』娘娘聽說，故此沒了想頭，方纔命我來奉請。」妖王大喜道：「你却中用。待我剿除了他國，封你爲個隨朝的太宰。」

行者順口謝恩，疾與妖王來至后宮門首。那娘娘歡容迎接，就去用手相攙。那妖王喏喏而退道：「不敢！不敢！多承娘娘下愛，我怕手痛，不敢相傍。」娘娘道：「大王請坐，我與你說。」妖王道：「有話但說不妨。」娘娘道：「我蒙大王辱愛，今已三年，未得共枕同衾。也是前世之緣，做了這場夫妻；誰知大王有外我之意，不以夫妻相待。我想着當時在朱紫國爲後，外邦凡有進貢之寶，君看畢，一定與後收之。你這裏更無甚麽寶貝，左右穿的是貂裘，吃的是血食，那曾見綾錦金珠！祇一味鋪皮蓋毯。或者就有些寶貝，你因外我，也不教我看見，也不與我收着。且如聞得你有三個鈴鐺，想就是件寶貝，你怎麽走也帶着，坐也帶着？你就拿與我收着，待你用時取出，未爲不可。此也是做夫妻一場，也有個心腹相託之意。如此不相託付，非外我而何？」妖王大笑賠禮道：「娘娘怪得是！怪得是！寶貝在此，今日就當付你收之。」便即揭衣取寶。行者在旁，眼不轉睛，看着那怪揭起兩三層衣服，貼身帶着三個鈴兒。他解下來，將些綿花塞了口兒，把一塊豹皮作一個包袱兒包了，遞與娘娘道：「物雖微賤，却要用心收藏，切不可搖幌着他。」娘娘接過手道：「我曉得。安在這妝臺之上，無人搖動。」叫：「小的們，安排酒來，我與大王交歡會喜，飲幾杯兒。」衆侍婢聞言，即鋪排果菜，擺上些獐犯鹿兔之肉，將椰子酒斟來奉上。那娘娘做出妖嬈之態，哄着精靈。

孫行者在旁取事，但挨挨摸摸，行近妝臺，把三個金鈴輕輕拿過，慢慢移步，溜出宮門，徑離洞府。到了剝皮亭前，無人處，展開豹皮幅子看時，中間一個，有茶鍾大；兩頭兩個，有拳頭大。他不知利害，就把綿花扯了。祇聞得噹的一聲響亮，骨都都的迸出煙火黄沙，急收不住，滿亭中烘烘火起。唬得那把門精怪，一擁撞入后宮，驚動了妖王，慌忙教：「去救火！救火！」出來看時，原來是有來有去拿了金鈴兒哩。妖王上前喝道：「好賤奴！怎麽偷了我的金鈴寶貝，在此胡弄！」叫：「拿來！拿來！」那門前虎將、熊師、豹頭、彪帥、獺象、蒼狼、乖獐、狡兔、長蛇、大蟒、猩猩，帥衆妖一齊攢簇。

那行者慌了手脚，丢了金鈴，現出本像。掣出金箍如意棒，撒開解數，往前亂打。那妖王收了寶貝，傳號令，教：「關了前門！」衆妖聽了，關門的關門，打仗的打仗。那行者難得脱身，收了棒，摇身一變，變作個痴蒼蠅兒，釘在那無火處石壁上。衆妖尋不見。報道：「大王，走了賊也！走了賊也！」妖王問：「可曾自門裏走出去？」衆妖都説：「前門緊鎖牢拴在此，不曾走出。」妖王祇説：「仔細搜尋！」有的取水潑火，有的仔細搜尋，更無踪跡。妖王怒道：「是個甚麽賊子，好大膽，變作有來有去的模樣，進來見我回話，又跟在身邊，乘機盗我寶貝！早是不曾拿將出去！若拿出山頭，見了天風，怎生是好？」虎將上前道：「大王的洪福齊天，我等的氣數不盡，故此知覺了。」熊師上前道：「大王，這賊不是别人，定是那戰敗先鋒的那個孫悟空。想必路上遇着有來有去，傷了性命，奪了黄旗、銅鑼、牙牌，變作他的模樣，到此欺騙了大王也。」妖王道：「正是！正是！見得有理！」叫：「小的們，仔細搜求防避，切莫開門放出走了！」這才是個有分教：

弄巧翻成拙，作耍却爲真。

畢竟不知孫行者怎麽脱得妖門，且聽下回分解。

總批：

這猴頭偷鈴尚不知掩耳，如何偷得？

第七十一回　行者假名降怪犼　觀音現像伏妖王

色即空兮自古，空言是色如然。人能悟徹色空禪，何用丹砂炮煉。德行全修休懈，工夫苦用熬煎。有時行滿始朝天，永駐仙顔不變。

話説那賽太歲，緊關了前後門户，搜尋行者。直嚷到黄昏時分，不見踪跡。坐在那剥皮亭上，點聚群妖，發號施令，都教各門上提鈴喝號，擊鼓敲梆；一個個弓上弦，刀出鞘，支更坐夜。原來孫大聖變做個痴蒼蠅，釘在門旁。見前面防備甚緊，他即抖開翅，飛入后宫門首看處，見金聖娘娘伏在御案上，清清滴泪，隱隱聲悲。行者飛進門去，輕輕的落在他那烏雲散髻之上，聽他哭的甚麽。少頃間，那娘娘忽失聲道：「主公啊！我和你：

前生燒了斷頭香，今世遭逢潑怪王。折鳳三年何日會？分鴛兩處致悲傷。差來長老才通信，驚散佳姻一命亡。祇爲金鈴難解識，相思又比舊時狂。」

行者聞言，即移身到他耳根後，悄悄的叫道：「聖宫娘娘，你休恐懼。我還是你國差來的神僧孫長老，未曾傷命。祇因自家性急，近妝臺偷了金鈴，你與妖王吃酒之時，我却脱身私出了前亭，忍不住打開看看。不期扯動那塞口的綿花，那鈴響一聲，迸出煙火黄沙。我就慌了手脚，把金鈴丢了，現出原身，使鐵棒，苦戰不出。恐遭毒手，故變作一個蒼蠅兒，釘在門樞上，躲到如今。那妖王愈加嚴緊，不肯開門。你可去再以夫妻之禮，哄他進來安寢，我好脱身行事，别作區處救你也。」

娘娘一聞此言，戰兢兢，發似神揪；虚怯怯，心如杵築。泪汪汪的道：「你如今是人是鬼？」行者道：「我也不是人，我也不是鬼，如今變作個蒼蠅兒在此。你休怕，快去請那妖王也。」娘娘不信，泪滴滴，悄語低聲道：「你莫魘寐我。」行者道：「我豈敢魘寐你？你若不信，展開手，等我跳下來你看。」那娘娘真個把左手張開，行者輕輕飛下，落在他玉掌之間，好便似：

菡萏蕊頭釘黑豆，牡丹花上歇遊蜂；綉球心裏葡萄落，百合枝邊黑點濃。

金聖宫高擎玉掌，叫聲「神僧」。行者嚶嚶的應道：「我是神僧變的。」那娘娘方纔信了。悄悄的道：「我去請那妖王來時，你却怎生行事？」行者道：「古人云：『斷送一生惟有酒。』又云：『破除萬事無過酒。』酒之爲用多端。你祇以飲酒爲上。你將那貼身的侍婢，唤一個進來，指與我看，我就變作他的模樣，在旁邊伏侍，却好下手。」

那娘娘真個依言，即叫：「春嬌何在？」那屏風後轉出一個玉面狐狸來，跪下道：「娘娘唤春嬌有何使令？」娘娘道：「你去叫他們來點紗燈，焚腦麝，扶我上前庭，請大王安寢也。」那春嬌即轉前面，叫了七八個怪鹿妖狐，打着兩對燈籠，一對提爐，擺列左右。娘娘欠身叉手，那大聖早已飛去。好行者，展開翅，徑飛到那玉面狐狸頭上，拔下一根毫毛，吹口仙氣，叫「變！」變作一個瞌睡蟲，輕輕的放在他臉上。原來瞌睡蟲到了人臉上，往鼻孔裏爬，爬進孔中，即瞌睡了。那春嬌果然漸覺睏倦，立不住脚，摇樁打盹，即忙尋着原睡處，丢倒頭，祇情呼呼的睡起。行者跳下來，摇身一變，變做那春嬌一般模樣，轉屏風，與衆排立不題。

却説那金聖宫娘娘往前正走，有小妖看見，即報賽太歲道：「大王，娘娘來了。」那妖王急出剥皮亭外迎迓。娘娘道：「大王啊，煙火既息，賊已無踪，深夜之際，特請大王安置。」那妖滿心歡喜道：「娘娘珍重。却纔那賊乃是孫悟空。他敗了我先鋒，打殺我小校，變化進來，哄了我們。我們這般搜檢，他却渺無踪跡，故此心上不安。」娘娘道：「那廝想是走脱了。大王放心勿慮，且自安寢去也。」妖精見娘娘侍立敬請，不敢堅辭，只得吩咐群妖，各要小心火燭，謹防盗賊，遂與娘娘徑往后宫。行者假變春嬌，從兩班侍婢引入。娘娘叫：「安排酒來與大王解勞。」妖王笑道：「正是，正是。快將酒來，我與娘娘壓驚。」「假春嬌」即同衆怪鋪排了果品，整頓些腥肉，調開桌椅。那娘娘擎杯，這妖王也以一杯奉上，二人穿换了酒杯。「假春嬌」在旁，執着酒壺道：「大王與娘娘今夜才遞交杯

盞，請各飲乾，穿個雙喜杯兒。』真個又各斟上，又飲乾了。『假春嬌』又道：『大王娘娘喜會，衆侍婢會唱的供唱，善舞的起舞來耶。』說未畢，衹聽得一派歌聲，齊調音律，唱的唱，舞的舞。他兩個又飲了許多，娘娘叫住了歌舞。衆侍婢分班，出屏風外擺列；惟有『假春嬌』執壺，上下奉酒。娘娘與那妖王專説得是夫妻之話。你看那娘娘一片雲情雨意，哄得那妖王骨軟筋麻。只是没福，不得霑身。可憐！真是『猫咬尿胞空歡喜』！

敘了一會，笑了一會，娘娘問道：『大王，寶貝不曾傷損麽？』妖王道：『這寶貝乃先天摶鑄之物，如何得損！只是被那賊扯開塞口之綿，燒了豹皮包袱也。』娘娘説：『怎生收拾？』妖王道：『不用收拾，我帶在腰間哩。』『假春嬌』聞得此言，即拔下毫毛一把，嚼得粉碎，輕輕挨近妖王，將那毫毛放在他身上，吹了三口仙氣，暗暗的叫『變！』那些毫毛即變做三樣惡物，乃虱子、蛇蚤、臭蟲，攻入妖王身內，挨着皮膚亂咬。那妖王燥癢難禁，伸手入懷揣摸揉癢，用指頭捏出幾個虱子來，拿近燈前觀看。娘娘見了，含忖道：『大王，想是襯衣穢了，久不曾漿洗，故生此物耳。』妖王慚愧道：『我從來不生此物，可可的今宵出醜。』娘娘笑道：『大王何爲出醜？常言道：「皇帝身上也有三個御虱」哩。且脱下衣服來，等我替你捉捉。』妖王真個解帶脱衣。

『假春嬌』在旁，着意看着那妖王身上，衣服層層皆有蛇蚤跳，件件皆排大臭蟲，子母虱，密密濃濃，就如螻蟻出窩中。不覺的揭到第三層見肉之處，那金鈴上紛紛垓垓的，也不勝其數。『假春嬌』道：『大王，拿鈴子來，等我也與你捉捉虱子。』那妖王一則羞，二則慌，却也不認得真假，將三個鈴兒遞與『假春嬌』。『假春嬌』接在手中，賣弄多時，見那妖王低着頭抖這衣服，他即將金鈴藏了，拔下一根毫毛，變作三個鈴兒，一般無二，拿向燈前翻檢；却又把身子扭扭捏捏的，抖了一抖，將那虱子、臭蟲、蛇蚤，收了歸在身上，把假金鈴兒遞與那怪。

那怪接在手中，一發朦朧無措，那裏認得甚麽真假，雙手托着那鈴兒，遞與娘娘道：『今番你却收好了。却要仔細仔細，不要像前一番。』那娘娘接過來，輕輕的揭開衣箱，把那假鈴收了，用黄金鎖鎖了。却又與妖王敘飲了幾杯酒，教侍婢：『浄拂牙床，展開錦被，我與大王同寢。』那妖王諾諾連聲道：『没福！没福！不敢奉陪。我還帶個宫女往西宫裏睡去。娘娘請自安置。』遂此各歸寢處不題。

却説『假春嬌』得了手，將他寶貝帶在腰間，現了本像，把身子抖一抖，收去那個瞌睡蟲兒，徑往前走，衹聽得梆鈴齊響，緊打三更。好行者，捏着訣，念動真言，使個隱身法，直至門邊。又見那門上拴鎖甚密，却就取出金箍棒，望門一指，使出那解鎖之法，那門就輕輕開了。急拽步出門站下，厲聲高叫道：『賽太歲！還我金聖娘娘來！』連叫兩三遍，驚動大小群妖，急急看處，前門開了，即忙掌燈尋鎖，把門兒依然鎖上，着幾個跑入裏邊去報道：『大王！有人在大門外呼唤大王尊號，要金聖娘娘哩！』那裏邊侍婢，即出宫門，悄悄的傳言道：『莫吆喝，大王才睡着了。』行者又在門前高叫，那小妖又不敢去驚動。如此者三四遍，俱不敢去通報。

那大聖在外嚷嚷鬧鬧的，直弄到天曉。忍不住，手輪着鐵棒，上前打門。慌得那大小群妖，頂門的頂門，報信的報信。那妖王一覺方醒，衹聞得亂攛攛的喧嘩，起身穿了衣服，即出羅帳之外，問道：『嚷甚麽？』衆侍婢才跪下道：『爺爺，不知是甚人在洞外叫駡了半夜，如今却又打門。』

妖王走出宫門，衹見那幾個傳報的小妖，慌張張的磕頭道：『外面有人叫駡，要金聖宫娘娘哩！若説半個「不」字，他就説出無數的歪話，甚不中聽。見天曉大王不出，逼得打門也。』那妖道：『且休開門。你去問他是那裏來的，姓甚名誰。快來回報。』小妖急出去，隔門問道：『打門的是誰？』行者道：『我是朱紫國拜請來的外公，來取聖宫娘娘回國哩！』那小妖聽得，即以此言回報。那妖隨往后宫，查問來歷。原來那娘娘才起來，還未梳洗。早見侍婢來報：『爺爺來了。』那娘娘急整衣，散挽黑雲，出宫迎迓。才坐下，還未及問，又聽得小妖來報：『那來的外公已將門打破矣。』那妖笑道：『娘娘，你朝中有多少將帥？』娘娘道：『在朝有四十八衛人馬，良將千員；各邊上元帥總兵，不計其數。』妖王道：『可有個姓外的麽？』娘娘道：『我在宫，衹知内裏輔助君王，早晚教誨妃嬪，

外事無邊，我怎記得名姓！』妖王道：『這來者稱爲「外公」，我想着《百家姓》上，更無個姓外的。娘娘賦性聰明，出身高貴，居皇宮之中，必多覽書籍。記得那本書上有此姓也？』娘娘道：『止《千字文》上有句「外受傅訓」，想必就是此矣。』

妖王喜道：『定是！定是！』即起身辭了娘娘，到剝皮亭上，結束整齊，點出妖兵，開了門，直至外面，手持一柄宣花鉞斧，厲聲高叫道：『那個是朱紫國來的「外公」？』行者把金箍棒撴在右手，將左手指定道：『賢甥，叫我怎的？』那妖王見了，心中大怒道：『你這廝：

相貌若猴子，嘴臉似猢猻。七分真是鬼，大膽敢欺人！』

行者笑道：『你這個誑上欺君的潑怪，原來没眼！想我五百年前大鬧天宮時，九天神將見了我，無一個「老」字，不敢稱呼；你叫我聲「外公」，那裏虧了你！』妖王喝道：『快早説出姓甚名誰，有些甚麽武藝，敢到我這裏猖獗！』行者道：『你若不問姓名猶可，若要我説出姓名，只怕你立身無地！你上來，站穩着，聽我道：

生身父母是天地，日月精華結聖胎。仙石懷抱無歲數，靈根孕育甚奇哉。當年産我三陽泰，今日歸真萬會諧。
曾聚衆妖稱帥首，能降衆怪拜丹崖。玉皇大帝傳宣旨，太白金星捧詔來。請我上天承職裔，官封「弼馬」不開懷。
初心造反謀山洞，大膽興兵鬧御階。托塔天王併太子，交鋒一陣盡猥衰。金星復奏玄穹帝，再降招安敕旨來。封
做齊天真大聖，那時方稱棟梁材。又因攪亂蟠桃會，仗酒偷丹惹下災。太上老君親奏駕，西池王母拜瑶臺。情知
是我欺王法，即點天兵發火牌。十萬兇星併惡曜，乾戈劍戟密排排。天羅地網漫山佈，齊舉刀兵大會垓。惡鬥一
場無勝敗，觀音推薦二郎來。兩家對敵分高下，他有梅山兄弟儕。各逞英雄施變化，天門三聖撥雲開。老君丢了
金鋼套，衆神擒我到金階。不須詳允書供狀，罪犯凌遲殺斬灾。斧剁錘敲難損命，刀輪劍砍怎傷懷。火燒雷打祇
如此，無計摧殘長壽胎。押赴太清兜率院，爐中煅煉盡安排。日期滿足才開鼎，我向當中跳出來。手挺這條如意
棒，翻身打上玉龍臺。各星各象皆潛躲，大鬧天宮任我歪。巡視靈官忙請佛，釋迦與我逞英才。手心之内翻筋鬥，
遊遍週天去復來。佛使先知賺哄法，被他壓住在天崖。到今五百餘年矣，解脱微軀又弄乖。特保唐僧西域去，悟
空行者甚明白。西方路上降妖怪，那個妖邪不懼哉！』

那妖王聽他説出悟空行者，遂道：『你原來是大鬧天宮的那廝。你既脱身保唐僧西去，你走你的路去便罷了，怎麽羅織管事，替那朱紫國爲奴，却到我這裏尋死！』行者喝道：『賊潑怪！説話無知！我受朱紫國拜請之禮，又蒙他稱呼管待之恩，我老孫比那王位還高千倍，他敬之如父母，事之如神明，你怎麽説出「爲奴」二字！我把你這誑上欺君之怪！不要走！吃外公一棒！』那妖慌了手脚，即閃身躲過，使宣花斧劈面相迎。這一場好殺！你看：

金箍如意棒，風刃宣花斧。一個咬牙發狠兇，一個切齒施威武。這個是齊天大聖降臨凡，那個是作怪妖王來
下土。兩個噴雲噯霧照天宮，真是走石揚沙遮鬥府。往往來來解數多，翻翻複複金光吐。齊將本事施，各把神通賭。
這個要取娘娘轉帝都，那個喜同皇後居山塢。這場都是没來由，捨死忘生因國主。

他兩個戰經五十回合，不分勝負。那妖王見行者手段高强，料不能取勝，將斧架住他的鐵棒道：『孫行者，你且住了。我今日還未早膳，待我進了膳，再來與你定雌雄。』行者情知是要取鈴鐺，收了鐵棒道：『「好漢子不趕乏兔兒」，你去！你去！吃飽些，好來領死！』

那妖急轉身闖入裏邊，對娘娘道：『快將寶貝拿來！』娘娘道：『要寶貝何幹？』妖王道：『今早叫戰者，乃是取經的和尚之徒，叫做孫悟空行者，假稱「外公」。我與他戰到此時，不分勝負。等我拿寶貝出去，放些煙火，燒這猴頭。』娘娘見説，心中怛突：欲不取出鈴兒，恐他見疑；欲取出鈴兒，又恐傷了孫行者性命。正自躊躇未定，那妖王又催逼道：『快拿出來！』這娘娘無奈，只得將鎖鑰開了，把三個鈴兒遞與妖王。妖王拿了，就走出洞。娘娘坐在宫中，泪如雨下，思量行者不知可能逃得性命。兩人却俱不知是假鈴也。

那妖出了門，就占起上風，叫道：『孫行者，休走！看我搖搖鈴兒！』行者笑道：『你有鈴，我就没鈴？你會搖，我就不會搖？』妖王道：『你有甚麽鈴兒，拿出來我看。』行者將鐵棒揑做個綉花針兒，藏在耳内，却去腰間解下三個真寶貝來，對妖王說：『這不是我的紫金鈴兒？』妖王見了，心驚道：『蹺蹊！蹺蹊！他的鈴兒怎麽與我的鈴兒就一般無二！縱然是一個模子鑄的，好道打磨不到，也有多個瘢兒，少個蒂兒，却怎麽這等一毫不差？』又問：『你那鈴兒是那裏來的？』行者道：『賢甥，你那鈴兒却是那裏來的？』妖王老實，便就說道：『我這鈴兒是：

太清仙君道源深，八卦爐中久煉金。結就鈴兒稱至寶，老君留下到如今。』

行者笑道：『老孫的鈴兒，也是那時來的。』妖王道：『怎生出處？』行者道：『我這鈴兒是：

道祖燒丹兜率宫，金鈴摶煉在爐中。二三如六循環寶，我的雌來你的雄。』

妖王道：『鈴兒乃金丹之寶，又不是飛禽走獸，如何辨得雌雄？但只是搖出寶來，就是好的！』行者道：『口說無憑，做出便見。且讓你先搖。』那妖王真個將頭一個鈴兒幌了三幌，不見火出；第二個幌了三幌，不見烟出；第三個幌了三幌，也不見沙出。妖王慌了手脚道：『怪哉！怪哉！世情變了！這鈴兒想是懼内，雄見了雌，所以不出來了。』

行者道：『賢甥，住了手，等我也搖搖你看。』好猴子，一把攥了三個鈴兒，一齊搖起。你看那紅火、青烟、黄沙，一齊滚出，骨都都燎樹燒山！大聖口裏又念個咒語，望巽地上叫：『風來！』真個是風催火勢，火挾風威，紅焰焰，黑沉沉，滿天煙火，遍地黄沙！把那賽太歲唬得魄散魂飛，走頭無路，在那火當中，怎逃性命！

祇聞得半空中厲聲高叫：『孫悟空！我來了也！』行者急回頭上望，原來是觀音菩薩，左手托着净瓶，右手拿着楊柳，灑下甘露救火哩。慌得行者把鈴兒藏在腰間，即合掌倒身下拜。那菩薩將柳枝連拂幾點甘露，霎時間，煙火俱無，黄沙絶跡。行者叩頭道：『不知大慈臨凡，有失回避。敢問菩薩何往？』菩薩道：『我特來收尋這個妖怪物。』

行者道：『這怪是何來歷，敢勞金身下降收之？』菩薩道：『他是我跨的個金毛犼。因牧童盹睡，失于防守，這孽畜咬斷鐵索走來，却與朱紫國王消灾也。』行者聞言，急欠身道：『菩薩反說了。他在這裏欺君騙后，敗俗傷風，與那國王生灾，却說是消灾，何也？』菩薩道：『你不知之。當時朱紫國先王在位之時，這個王還做東宫太子，未曾登基。他年幼間，極好射獵。他率領人馬，縱放鷹犬，正來到落鳳坡前，有西方佛母孔雀大明王菩薩所生二子，乃雌雄兩個雀雛，停翅在山坡之下，被此王弓開處，射傷了雄孔雀，那雌孔雀也帶箭歸西。佛母懺悔以後，吩咐教他拆鳳三年，身耽啾疾。那時節，我跨着這犼，同聽此言，不期這孽畜留心，故來騙了皇后，與王消灾。至今三年，冤愆滿足，幸你來救治王患。我特來收妖邪也。』行者道：『菩薩，雖是這般故事，奈何他玷污了皇后，敗俗傷風，壞倫亂法，却是該他死罪。今蒙菩薩親臨，饒得他死罪，却饒不得他活罪。讓我打他二十棒，與你帶去罷。』菩薩道：『悟空，你既知我臨凡，就當看我分上，一發都饒了罷；也算你一番降妖之功。若是動了棍子，他也就是死了。』行者不敢違言，只得拜道：『菩薩既收他回海，再不可令他私降人間，貽害不淺！』

那菩薩才喝了一聲『孽畜！還不還原，待何時也！』祇見那怪打個滚，現了原身，將毛衣抖抖，菩薩騎上。

菩薩又望項下一看，不見那三個金鈴。菩薩道：『悟空，還我鈴來。』行者道：『老孫不知。』菩薩喝道：『你這賊猴！若不是你偷了這鈴，莫說一個悟空，就是十個，也不敢近身！快拿出來！』行者笑道：『實不曾見。』菩薩道：『既不曾見，等我念念《緊箍兒咒》。』那行者慌了，祇教：『莫念！莫念！鈴兒在這裏哩！』這正是：

項金鈴何人解？解鈴人還問繫鈴人。

菩薩將鈴兒套在犼項下，飛身高坐。你看他四足蓮花生焰焰，滿身金縷迸森森。大慈悲回南海不題。

却說孫大聖整束了衣裙，輪鐵棒打進獬豸洞去，把群妖衆怪，盡情打死，剿除乾净。直至宫中，請聖宫娘娘回國。

那娘娘頂禮不盡。行者將菩薩降妖并拆鳳原由備說了一遍，尋些軟草，紥了一條草龍，教：「娘娘跨上，合着眼，莫怕，我帶你回朝見主也。」

那娘娘謹遵吩咐，行者使起神通，衹聽得耳内風響。

半個時辰，帶進城，按落雲頭，叫：「娘娘開眼。」那皇后睁開眼看，認得是鳳閣龍樓，心中歡喜，撇了草龍，與行者同登寶殿。那國王見了，急下龍床，就來扯娘娘玉手，欲訴離情，猛然跌倒在地，衹叫：「手疼！手疼！」八戒哈哈大笑道：「嘴臉！没福消受！一見面就蜇殺了也！」行者道：「呆子，你敢扯他扯兒麽？」八戒道：「就扯他扯兒便怎的？」行者道：「娘娘身上生了毒刺，手上有蜇陽之毒。自到麒麟山，與那賽太歲三年，那妖更不曾霑身。但霑身就害身疼，但沾手就害手疼。」衆官聽說道：「似此怎生奈何？」此時外面衆官憂疑，内裏妃嬪悚懼，旁有玉聖、銀聖二宫，將君王扶起。

俱正在倉皇之際，忽聽得那半空中，有人叫道：「大聖，我來也。」行者抬頭觀看，衹見那：

肅肅衝天鶴唳，飄飄徑至朝前。繚繞祥光道道，氤氲瑞氣翩翩。棕衣苫體放雲煙，足踏芒鞋罕見。手執龍鬚蠅帚，絲縧腰下圍纏。乾坤處處結人緣，大地逍遥遊遍。此乃是大羅天上紫雲仙，今日臨凡解魘。

行者上前迎住道：「張紫陽何往？」紫陽真人直至殿前，躬身施禮道：「大聖，小仙張伯端起手。」行者答禮道：「你從何來？」真人道：「小仙三年前曾赴佛會。因打這裏經過，見朱紫國王有拆鳳之憂，我恐那妖將皇后玷辱，有壞人倫，後日難與國王復合。是我將一件舊棕衣變作一領新霞裳，光生五彩，進與妖王，教皇后穿了妝新。那皇后穿上身，即生一身毒刺。毒刺者，乃棕毛也。今知大聖成功，特來解魘。」行者道：「既如此，纍你遠來，且快解脱。」真人走向前，對娘娘用手一指，即脱下那件棕衣。那娘娘遍體如舊。真人將衣抖一抖，披在身上，對行者道：「大聖勿罪，小仙告辭。」行者道：「且住，待君王謝謝。」真人笑道：「不勞，不勞。」遂長揖一聲，騰

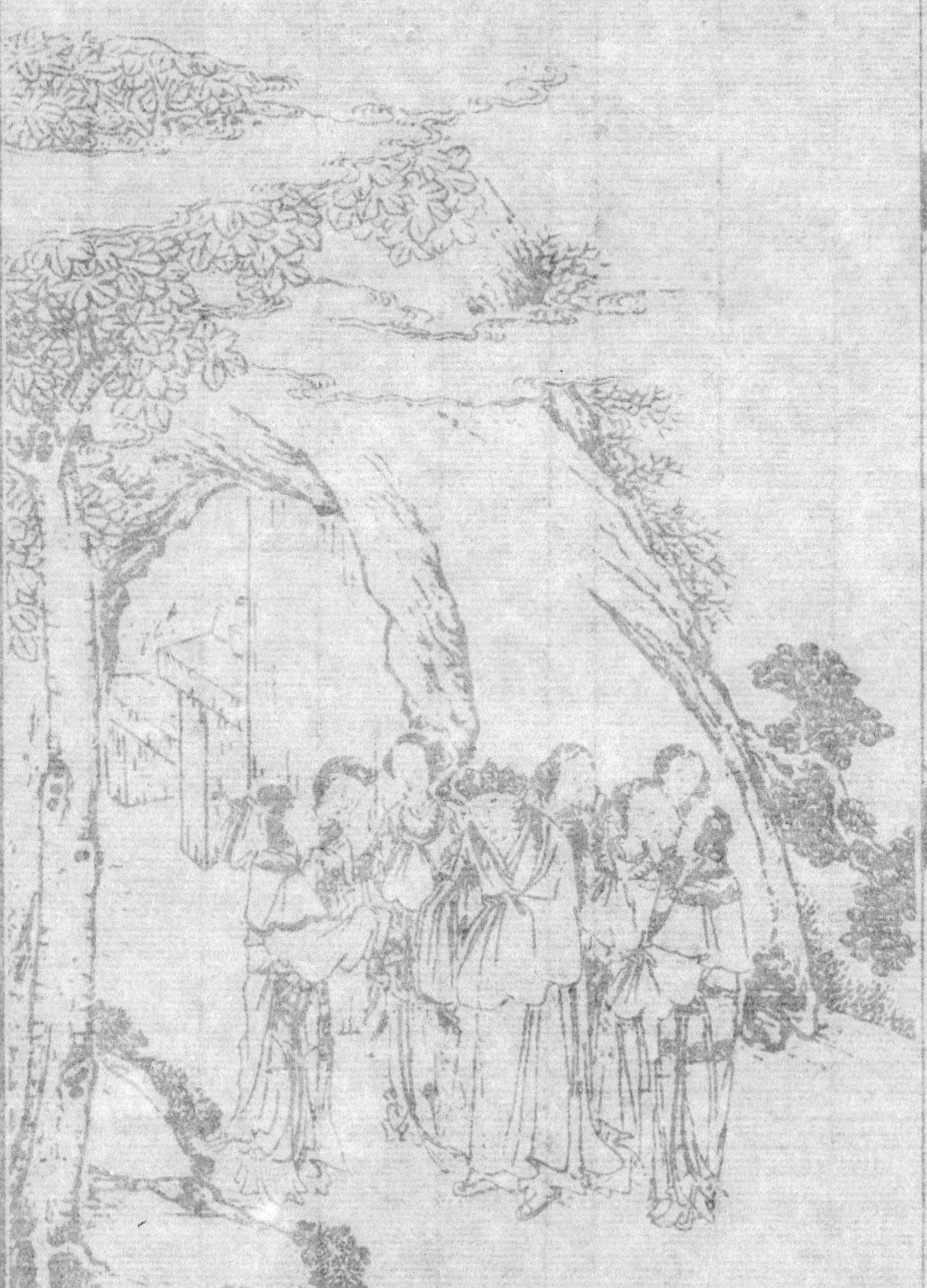

空而去。慌得那皇帝、皇后及大小衆臣，一個個望空禮拜。

拜畢，即命大開東閣，酬謝四僧。那君王領衆跪拜，夫妻才得重諧。正當歡宴時，行者叫：『師父，拿那戰書來。』長老袖中取出，遞與行者。行者遞與國王道：『此書乃那怪差小校送來者。那小校已先被我打死，送來報功。後復至山中，變作小校，進洞回復，因得見娘娘，盜出金鈴，幾乎被他拿住；又變化，復偷出，與他對敵。幸遇觀音菩薩將他收去，又與我説拆鳳之故。』從頭至尾，細說了一遍。那舉國君臣内外，無一人不感謝稱讚。唐僧道：『一則是賢王之福，二來是小徒之功。今蒙盛宴，至矣！至矣！就此拜別，不要誤貧僧向西去也。』那國王懇留不得，遂换了關文，大排鑾駕，請唐僧穩坐龍車，那君王、妃後，俱捧轂推輪，相送而別。正是：

有緣洗盡憂疑病，絕念無思心自寧。

畢竟這去，後面再有甚麼吉凶之事，且聽下回分解。

總批：

雄鈴也怕雌鈴，何懼内之風，不遺一物如此！若今日，可謂鈴世界矣。識得生灾乃是消灾，苦海中俱極樂世界也。

此《西遊》度人處，讀者着眼。

第七十二回　盤絲洞七情迷本　濯垢泉八戒忘形

話表三藏別了朱紫國王，整頓鞍馬西進。行够多少山原，歷盡無窮水道，不覺的秋去冬殘，又值春光明媚。師徒們正在路踏青玩景，忽見一座庵林。三藏滚鞍下馬，站立大道之旁。行者問道：『師父，這條路平坦無邪，因何不走？』八戒道：『師兄好不通情！師父在馬上坐得睏了，也讓他下來關關風是。』三藏道：『不是關風，我看那裏是個人家，意欲自去化些齋吃。』行者笑道：『你看師父説的是那裏話。你要吃齋，我自去化。俗語云：「一日爲師，終身爲父。」豈有爲弟子者高坐，教師父去化齋之理？』三藏道：『不是這等説。平日間一望無邊無際，你們没遠没近的去化齋，今日人家逼近，可以叫應，也讓我去化一個來。』八戒道：『師父没主張。常言道：「三人出外，小的兒苦。」你況是個父輩，我等俱是弟子。古書云：「有事弟子服其勞。」等我老猪去。』三藏道：『徒弟啊，今日天氣晴明，與那風雨之時不同。那時節，汝等必定遠去，此個人家，等我去。有齋無齋，可以就回走路。』沙僧在旁笑道：『師兄，不必多講。師父的心性如此，不必違拗。若惱了他，就化將齋來，他也不吃。』

八戒依言，即取出鉢盂，與他换了衣帽。拽開步，直至那莊前觀看，却也好座住場。但見：

石橋高聳，古樹森齊。石橋高聳，潺潺流水接長溪；古樹森齊，聒聒幽禽鳴遠岱。橋那邊有數椽茅屋，清清雅雅若仙庵；又有那一座蓬窗，白白明明欺道院。窗前忽見四佳人，都在那裏刺鳳描鸞做針綫。

長老見那人家没個男兒，衹有四個女子，不敢進去。將身立定，閃在喬林之下。衹見那女子，一個個：

閨心堅似石，蘭性喜如春。嬌臉紅霞襯，朱唇絳脂勻。蛾眉横月小，蟬鬢迭雲新。若到花間立，遊蜂錯認真。

少停有半個時辰，一發静悄悄，鷄犬無聲。自家思慮道：『我若没本事化頓齋飯，也惹那徒弟笑我：敢道爲師的化不出齋來，爲徒的怎能去拜佛。』

長老没計奈何，也帶了幾分不是，趨步上橋。又走了幾步，衹見那茅屋裏面有一座木香亭子，亭子下又有三

個女子在那裏踢氣球哩。你看那三個女子，比那四個又生得不同。但見那：

飄揚翠袖，搖拽緗裙。飄揚翠袖，低籠着玉筍纖纖；搖拽緗裙，半露出金蓮窄窄。形容體勢十分全，動靜腳跟千樣躧。拿頭過論有高低，張泛送來真又楷。轉身踢個出墻花，退步翻成大過海。輕接一團泥，單槍急對拐。明珠上佛頭，實捏來尖捽。窄磚偏會拿，臥魚將腳㧐。平腰折膝蹲，扭頂翹跟躧。扳凳能喧泛，披肩甚脫灑。絞襠任往來，鎖項隨搖擺。踢的是黃河水倒流，金魚灘上買。那個錯認是頭兒，這個轉身就打拐。端然捧上臁，周正尖來捽。提跟㴽草鞋，倒插回頭采。退步泛肩妝，鈎兒衹一歹。版篗下來長，便把奪門揣。踢到美心時，佳人齊喝采。一個個汗流粉膩透羅裳，興懶情疏方叫海。

言不盡，又有詩爲證。詩曰：

蹴踘當場三月天，仙風吹下素嬋娟。汗霑粉面花含露，塵染蛾眉柳帶煙。翠袖低垂籠玉筍，緗裙斜拽露金蓮。幾回踢罷嬌無力，雲鬢蓬松寶髻偏。

三藏看得時辰久了，只得走上橋頭，應聲高叫道：「女菩薩，貧僧這裏隨緣佈施些兒齋吃。」那些女子聽見，一個個喜喜歡歡抛了針綫，撇了氣球，都笑笑吟吟的接出門來道：「長老，失迎了。今到荒莊，決不敢攔路齋僧，請裏面坐。」三藏聞言，心中暗道：「善哉，善哉！西方正是佛地！女流尚且注意齋僧，男子豈不虔心向佛？」

長老向前問訊了，相隨衆女入茅屋。過木香亭看處，呀！原來那裏邊沒甚房廊，衹見那：

巒頭高聳，地脉遥長。巒頭高聳接雲煙，地脉遥長通海嶽。門近石橋，九曲九灣流水顧；園栽桃李，千株千顆鬥穠華。藤薜挂懸三五樹，芝蘭香散萬千花。遠觀洞府欺蓬島，近睹山林壓太華。正是妖仙尋隱處，更無鄰捨獨成家。

有一女子上前，把石頭門推開兩扇，請唐僧裏面坐。那長老只得進去。忽抬頭看時，鋪設的都是石桌、石凳，

冷氣陰陰。長老心驚，暗自思忖道：「這去處少吉多凶，斷然不善。」衆女子喜笑吟吟，都道：「長老請坐。」長老沒奈何，只得坐了。少時間，打個冷禁。衆女子問道：「長老是何寶山？化甚麼緣？還是修橋補路，建寺禮塔，還是造佛印經？請緣簿出來看看。」長老道：「我不是化緣的和尚。」女子道：「既不化緣，到此何幹？」長老道：「我是東土大唐差去西天大雷音求經者。適過寶方，腹間飢餒，特造檀府，募化一齋，貧僧就行也。」衆女子道：「好！好！好！常言道：『遠來的和尚好看經。』妹妹們，不可怠慢，快辦齋來。」

此時有三個女子陪着，言來語去，論說些因緣。那四個到廚中撩衣斂袖，炊火刷鍋。你道他安排的是些甚麼東西？原來是人油炒煉，人肉煎熬，熬得黑糊充作麵筋樣子，剜的人腦煎作豆腐塊片。兩盤兒捧到石桌上放下，對長老道：「請了。倉卒間，不曾備得好齋，且將就吃些充腹。後面還有添換來也。」

那長老聞了一聞，見那腥膻，不敢開口，欠身合掌道：「女菩薩，貧僧是胎裏素。」衆女子笑道：「長老，此是素的。」長老道：「阿彌陀佛！若像這等素的啊，我和尚吃了，莫想見得世尊，取得經卷。」衆女子道：「長老，你出家人，切莫揀人佈施。」長老道：「怎敢，怎敢！我和尚奉大唐旨意，一路西來，微生不損，見苦就救，遇穀粒手拈入口，逢絲縷聯綴遮身，怎敢揀主佈施！」衆女子笑道：「長老雖不揀人佈施，却衹有些上門怪人。莫嫌粗淡，吃些兒罷。」長老道：「實是不敢吃，恐破了戒。望菩薩養生不若放生，放我和尚出去罷。」

那長老掙着要走，那女子攔住門，俱道：「上門的買賣，倒不好做！『放了屁兒，却使手掩。』你往那裏去？」他一個個都會些武藝，手脚又活，把長老扯住，順手牽羊，撲的摜倒在地。衆人按住，將繩子捆了，懸梁高吊。這吊有個名色，叫做『仙人指路』。原來是一隻手向前，牽絲吊起；一隻手攔腰捆住，將繩吊起；兩隻脚向後一條繩吊起；三條繩把長老吊在梁上，却是脊背朝上，肚皮朝下。那長老忍着疼，噙着淚，心中暗恨道：「我和尚這等命苦！衹說是好人家化頓齋吃，豈知道落了火坑！徒弟啊！速來救我，還得見面；但遲兩個時辰，我

命休矣！」

那長老雖然苦惱，却還留心看着那些女子。那些女子把他吊得停當，便去脫剝衣服。長老心驚，暗自忖道：「這一脫了衣服，是要打我的情了。或者夾生兒吃我的情也有哩。」原來那女子們衹解了上身羅衫，露出肚腹，各顯神通：一個個腰眼中冒出絲繩，有鴨蛋粗細，骨都都的，迸玉飛銀，時下把莊門瞞了不題。

却說那行者、八戒、沙僧，都在大道之旁。他二人都放馬看擔，惟行者是個頑皮，他且跳樹攀枝，摘葉尋果。忽回頭，衹見一片光亮，慌得跳下樹來，吆喝道：「不好，不好！師父造化低了！」行者用手指道：「你看那莊院如何？」八戒、沙僧共目視之，那一片，如雪又亮如雪，似銀又光似銀。八戒道：「罷了，罷了！師父遇着妖精了！我們快去救他也！」行者道：「賢弟莫嚷。你都不見怎的，等老孫去來。」沙僧道：「哥哥仔細。」行者道：「我自有處。」

好大聖，束一束虎皮裙，掣出金箍棒，拽開脚，兩三步跑到前邊，看見那絲繩纏了有千百層厚，穿穿道道，却似經緯之勢；用手按了一按，有些粘軟沾人。行者更不知是甚麼東西，他即舉棒道：「這一棒，莫說是幾千層，就有幾萬層，也打斷了！」正欲打，又停住手道：「若是硬的便可打斷，這個軟的，只好打匾罷了。假如驚了他，纏住老孫，反爲不美。等我且問他一問再打。」

你道他問誰？即捻一個訣，念一個咒，拘得個土地老兒在廟裏似推磨的一般亂轉。土地婆兒道：「老兒，你轉怎的？好道是羊兒風發了！」土地道：「你不知！你不知！有一個齊天大聖來了，我不曾接他，他那裏拘我哩。」婆兒道：「你去見他便了，却如何在這裏打轉？」土地道：「若去見他，他那棍子好不重，他管你好歹就打哩！」婆兒道：「他見你這等老了，那裏就打你？」土地道：「他一生好吃沒錢酒，偏打老年人。」

兩口兒講一會，沒奈何只得走出去，戰兢兢的，跪在路旁，叫道：「大聖，當境土地叩頭。」行者道：「你且起來，不要假忙。我且不打你，寄下在那裏。我問你，此間是甚地方？」土地道：「大聖從那廂來？」行者道：「我自東土往西來的。」土地道：「大聖東來，可曾在那山嶺上？」行者道：「正在那山嶺上。我們行李、馬匹還都歇在那嶺上不是！」土地道：「那嶺叫做盤絲嶺。嶺下有洞，叫做盤絲洞。洞裏有七個妖精。」行者道：「是男怪女怪？」土地道：「是女怪。」行者道：「他有多大神通？」土地道：「小神力薄威短，不知他有多大手段；衹知那正南上，離此有三里之遥，有一座濯垢泉，乃天生的熱水，原是上方七仙姑的浴池。自妖精到此居住，佔了他的濯垢泉，仙姑更不曾與他爭競，平白地就讓與他了。我見天仙不惹妖魔怪，必定精靈有大能。」行者道：「佔了此泉何幹？」土地道：「這怪佔了浴池，一日三遭，出來洗澡。如今巳時已過，午時將來哩。」行者聽言道：「土地，你且回去，等我自家拿他罷。」那土地老兒磕了一個頭，戰兢兢的，回本廟去了。

這大聖獨顯神通，摇身一變，變作個麻蒼蠅兒，釘在路旁草梢上等待。須臾間，衹聽得呼呼吸吸之聲，猶如蠶食葉，却似海生潮。只好有半盞茶時，絲繩皆盡，依然現出莊村，還像當初模樣。又聽得呀的一聲，柴扉響處，裏邊笑語喧嘩，走出七個女子。行者在暗中細看，見他一個個携手相攙，挨肩執袂，有説有笑的，走過橋來，果是標緻。但見：

比玉香尤勝，如花語更真。柳眉横遠岫，檀口破櫻唇。釵頭翹翡翠，金蓮閃絳裙。却似嫦娥臨下界，仙子落凡塵。

行者笑道：「怪不得我師父要來化齋，原來是這一般好處。這七個美人兒，假若留住我師父，要吃也不够一頓吃，要用也不够兩日用，要動手輪流一擺佈就是死了。且等我去聽他一聽，看他怎的算計。」

好大聖，嚶的一聲，飛在那前面走的女子雲髻上釘住。才過橋來，後邊的走向前來呼道：「姐姐，我們洗了澡，來蒸那胖和尚吃去。」行者暗笑道：「這怪物好沒算計！煮還省些柴，怎麼轉要蒸了吃！」那些女子采花鬥草向南來。不多時，到了浴池。但見一座門墻，十分壯麗。遍地野花香艷艷，滿旁蘭蕙密森森。後面一個女子，走上前，

唿哨的一聲，把兩扇門兒推開，那中間果有一塘熱水。這水：自開闢以來，太陽星原貞有十，後被羿善開弓，射落九烏墜地，止存金烏一星，乃太陽之真火也。天地有九處湯泉，俱是衆烏所化。那九陽泉，乃香冷泉、伴山泉、温泉、東合泉、潢山泉、孝安泉、廣汾泉、湯泉，此泉乃濯垢泉。有詩爲證。詩曰：

一氣無冬夏，三秋永注春。炎波如鼎沸，熱浪似湯新。分溜滋禾稼，停流蕩俗塵。涓涓珠淚泛，滚滚玉團津。潤滑原非釀，清平還自温。瑞祥本地秀，造化乃天真。佳人洗處冰肌滑，滌蕩塵煩玉體新。

那浴池約有五丈餘闊，十丈多長，内有四尺深淺，但見水清徹底。底下水一似滚珠泛玉，骨都都冒將上來。四面有六七個孔竅通流。流去二三里之遥，淌到田裏，還是温水。池上又有三間亭子。亭子中近後壁放着一張八隻脚的板凳。兩山頭放着兩個描金彩漆的衣架。行者暗中喜嚶嚶的，一翅飛在那衣架頭上釘住。

那些女子見水又清又熱，便要洗浴，即一齊脱了衣服，搭在衣架上。一齊下去，被行者看見：

褪放紐釦兒，解開羅帶結。酥胸白似銀，玉體渾如雪。肘膊賽冰鋪，香肩欺粉貼。肚皮軟又綿，脊背光還潔。膝腕半圍團，金蓮三寸窄。中間一段情，露出風流穴。

那女子都跳下水去，一個個躍浪翻波，負水頑耍。行者道：「我若打他啊，衹消把這棍子往池中一攪，就叫做『滚湯潑老鼠，一窩兒都是死。』可憐！可憐！打便打死他，只是低了老孫的名頭。常言道：『男不與女鬥。』我這般一個漢子，打殺這幾個丫頭，着實不濟。不要打他，衹送他一個絕後計，教他動不得身，出不得水，多少是好。」好大聖，捏着訣，念個咒，摇身一變，變作一個餓老鷹，但見：

毛猶霜雪，眼若明星。妖狐見處魂皆喪，狡兔逢時膽盡驚。鋼爪鋒芒快，雄姿猛氣横。會使老拳供口腹，不辭親手逐飛騰。萬里寒空隨上下，穿雲檢物任他行。

呼的一翅，飛向前，輪開利爪，把他那衣架上搭的七套衣服，盡情叼去，徑轉嶺頭，現出本相來見八戒、沙僧道：「你看。」那呆子迎着對沙僧笑道：「師父原來是典當鋪裏拿了去的。」沙僧道：「怎見得？」八戒道：「你不見師兄把他些衣服都搶將來也？」行者放下道：「此是妖精穿的衣服。」八戒道：「怎麼就有這許多？」行者道：「七套。」八戒道：「如何這般剥得容易，又剥得乾净？」行者道：「那曾用剥。原來此處唤做盤絲嶺。那莊村唤做盤絲洞。洞中有七個女怪，把我師父拿住，吊在洞裏，都向濯垢泉去洗浴。那泉却是天地産成的一塘子熱水。他都算計着洗了澡要把師父蒸吃。是我跟到那裏，見他脱了衣服下水，我要打他，恐怕污了棍子，又怕低了名頭，是以不曾動棍，衹變做一個餓老鷹，叼了他的衣服。他都忍辱含羞，不敢出頭，蹲在水中哩。我等快去解下師父走路罷。」八戒笑道：「師兄，你凡幹事，衹要留根。既見妖精，如何不打殺他，却就去解師父！他如今縱然藏羞不出，到晚間必定出來。他家裏還有舊衣服，穿上一套，來趕我們。縱然不趕，他久住在此，我們取了經，還從那條路回去。常言道：『寧少路邊錢，莫少路邊拳。』那時節，他攔住了吵鬧，却不是個仇人也？」行者道：「憑你如何主張？」八戒道：「依我，先打殺了妖精，再去解放師父：此乃『斬草除根』之計。」行者道：「我是不打他。你要打，你去打他。」

八戒抖擻精神，歡天喜地，舉着釘鈀，拽開步，徑直跑到那裏。忽的推開門看時，衹見那七個女子，蹲在水裏，口中亂駡那鷹哩，道：「這個匾毛畜生！猫嚼頭的亡人！把我們衣服都叼去了，教我們怎的動手！」八戒忍不住笑道：「女菩薩，在這裏洗澡哩。也携帶我和尚洗洗，何如？」那怪見了，作怒道：「你這和尚，十分無禮！我們是在家的女流，你是個出家的男子。古書云：『七年男女不同席。』你好和我們同塘洗澡？」八戒道：「天氣炎熱，没奈何，將就容我洗洗兒罷。那裏調甚麽書擔兒，同席不同席！」呆子不容説，丢了釘鈀，脱了皂錦直裰，撲的跳下水來。那怪心中煩惱，一齊上前要打。不知八戒水勢極熟，到水裏摇身一變，變做一個鮎魚精。那怪就都摸魚，趕上拿他不住：東邊摸，忽的又漬了西去；西邊摸，忽的又漬了東去，滑扢虀的，衹在那腿襠裏亂鑽。原來那水

有攙胸之深，水上盤了一會，又盤在水底，都盤倒了，喘噓噓的，精神倦怠。

八戒却纔跳將上來，現了本相，穿了直裰，執着釘鈀，喝道：『我是那個？你把我當鮎魚精哩！』那怪見了，心驚膽戰，對八戒道：『你先來是個和尚，到水裏變作鮎魚，及拿你不住，却又這般打扮；你端的是從何到此？是必留名。』八戒道：『這伙潑怪當真的不認得我！我是東土大唐取經的唐長老之徒弟，乃天蓬元帥悟能八戒是也。你把我師父吊在洞裏，算計要蒸他受用！我的師父，又好蒸吃？快早伸過頭來，各築一鈀，教你斷根！』那些妖聞此言，魂飛魄散，就在水中跪拜道：『望老爺方便方便！我等有眼無珠，誤捉了你師父，雖然吊在那裏，不曾敢加刑受苦。望慈悲饒了我的性命，情願貼些盤費，送你師父往西天去也。』八戒搖手道：『莫説這話！俗語説得好：「曾着賣糖君子哄，到今不信口甜人。」是便築一鈀，各人走路！』

呆子一味粗夯，顯手段，那有憐香惜玉之心，舉着鈀，不分好歹，趕上前亂築。那怪慌了手脚，那裏顧甚麼羞耻，只是性命要緊，隨用手侮着羞處，跳出水來，都跑在亭子裏站立，作出法來：臍孔中骨都都冒出絲繩，瞞天搭了個大絲篷，把八戒罩在當中。

那呆子忽抬頭，不見天日，即抽身往外便走。那裏舉得脚步！原來放了絆脚索，滿地都是絲繩，動動脚，跌個躘踵：左邊去，一個面磕地；右邊去，一個倒栽葱；急轉身，又跌了個嘴搵地；忙爬起，又跌了個豎蜻蜓。也不知跌了多少跟頭，把個呆子跌得身麻脚軟，頭暈眼花，爬也爬不動，衹睡在地下呻吟。那怪物却將他困住，也不打他，也不傷他，一個個跳出門來，將絲篷遮住天光，各回本洞。

到了石橋上站下，念動真言，霎時間，把絲篷收了，赤條條的，跑入洞裏，侮着那話，從唐僧面前笑嘻嘻的跑過去。走入石房，取幾件舊衣穿了，徑至後門口立定，叫：『孩兒們何在？』原來那妖精一個有一個兒子，却不是他養的，都是他結拜的乾兒子。有名唤做蜜、螞、蠦、班、蜢、蠟、蜻：蜜是蜜蜂，螞是螞蜂，蠦是蠦蜂，班是班毛，

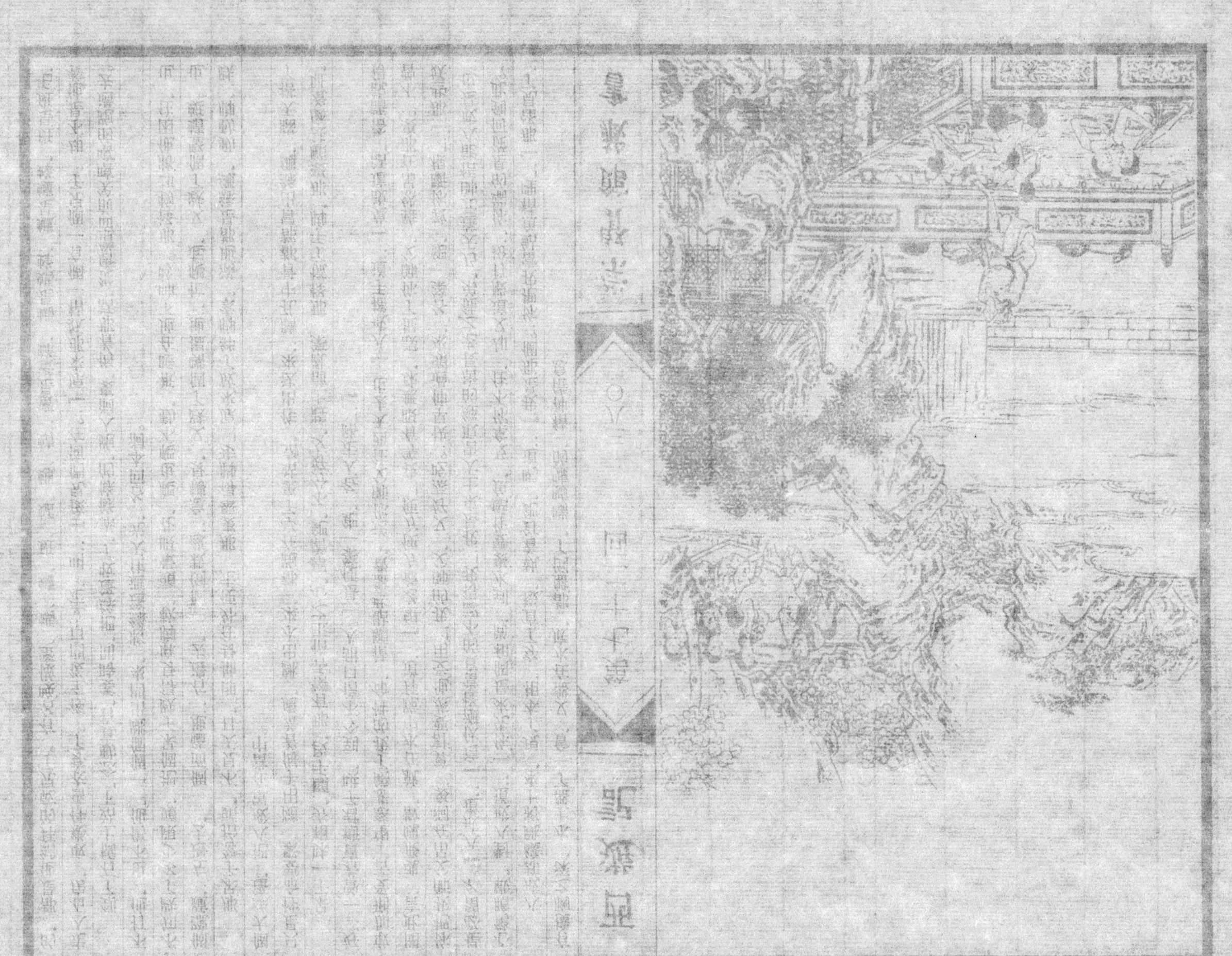

蜢是牛蜢，蠟是抹蠟，蜻是蜻蜓。原來那妖精幔天結網，擄住這七般蟲蛭，却要吃他。古云：『禽有禽言，獸有獸語。』當時這些蟲哀告饒命，願拜爲母，遂此春采百花供怪物，夏尋諸卉孝妖精。忽聞一聲呼喚，都到面前，問：『母親有何使令？』衆怪道：『兒啊，早間我們錯惹了唐朝來的和尚，才然被他徒弟攔在池裏，出了多少醜，幾乎喪了性命！汝等努力，快出門前去退他一退。如得勝後，可到你舅舅家來會我。』那些怪既得逃生，往他師兄處，孽嘴生灾不題。你看這些蟲蛭，一個個摩拳擦掌，出來迎敵。

却說八戒跌得昏頭昏腦，猛抬頭，見絲篷絲索俱無，他才一步一探，爬將起來，忍着疼，找回原路。見了行者，用手扯住道：『哥哥，我的頭可腫，臉可青麽？』行者道：『你怎的來？』八戒道：『我被那廝將絲繩罩住，放了絆脚索，不知跌了多少跟頭，跌得我腰拖背折，寸步難移。却纔絲篷索子俱空，方得了性命回來也。』沙僧見了道：『罷了，罷了！你闖下禍來也！那怪一定往洞裏去傷害師父，我等快去救他！』

行者聞言，急拽步便走。八戒牽着馬，急急來到莊前。但見那石橋上有七個小妖兒擋住道：『慢來，慢來！吾等在此！』行者看了道：『好笑！乾净都是些小人兒！長的也衹有二尺五六寸，不滿三尺；重的也衹有八九斤，不滿十斤。』喝道：『你是誰？』那怪道：『我乃七仙姑的兒子。你把我母親欺辱了，還敢無知，打上我門！不要走！仔細！』好怪物，一個個手之舞之，足之蹈之，亂打將來。八戒見了生嗔，本是跌惱了的性子，又見那伙蟲蛭小巧，就發狠舉鈀來築。

那些怪見呆子兇猛，一個個現了本像，飛將起去，叫聲『變！』須臾間，一個變十個，十個變百個，百個變千個，千個變萬個，個個都變成無窮之數。衹見：

滿天飛抹蠟，遍地舞蜻蜓。蜜螞追頭額，蠦蜂扎眼睛。班毛前後咬，牛蜢上下叮。撲面漫漫黑，翛翛神鬼驚。

八戒慌了道：『哥啊，衹説經好取，西方路上，蟲兒也欺負人哩！』行者道：『兄弟，不要怕，快上前打！』八戒道：『撲頭撲臉，渾身上下，都叮有十數層厚，却怎麽打？』行者道：『没事！没事！我自有手段！』沙僧道：『哥啊，有甚手段，快使出來罷。一會子光頭上都叮腫了！』

好大聖，拔了一把毫毛，嚼得粉碎，噴將出去，即變做些黄、麻、鴜、白、雕、魚、鷂。八戒道：『師兄，又打甚麽市語？黄啊、麻啊哩？』行者道：『你不知。黄是黄鷹，麻是麻鷹，鴜是鴜鷹，白是白鷹，雕是雕鷹，魚是魚鷹，鷂是鷂鷹。那妖精的兒子是七樣蟲，我的毫毛是七樣鷹。』鷹最能嗛蟲，一嘴一個，爪打翅敲，須臾，打得罄盡，滿空無跡，地積尺餘。

三兄弟方纔闖過橋去，徑入洞裏。衹見老師父吊在那裏哼哼的哭哩。八戒近前道：『師父，你是要來這裏吊了耍子，不知作成我跌了多少跟頭哩！』沙僧道：『且解下師父再説。』行者即將繩索挑斷，放下唐僧，都問道：『妖精那裏去了？』唐僧道：『那七個怪都赤條條的往後邊叫兒子去了。』行者道：『兄弟們，跟我來尋去。』

三人各持兵器，往後園裏尋處，不見踪跡。都到那桃李樹上尋遍不見。八戒道：『去了！去了！』沙僧道：『不必尋他，等我扶師父去也。』弟兄們復來前面，請唐僧上馬道：『師父，下次化齋，還讓我們去。』唐僧道：『徒弟呵，以後就是餓死，也再不自專了。』八戒道：『你們扶師父走着，等老猪一頓鈀築倒他這房子，教他來時没處安身。』行者笑道：『築還費力，不若尋些柴來，與他個斷根罷。』好呆子，尋了些朽松、破竹、乾柳、枯藤，點上一把火，烘烘的都燒得乾净。師徒却纔放心前來。

咦！畢竟這去，不知那怪的吉凶如何，且聽下回分解。

總批：

『七情迷本』，『八戒忘形』八個字，最有深意。戒則不迷，迷則不戒，反掌間耳。〇女子最會纏人，誰人能解此縛？

第七十三回　情因舊恨生災毒　心主遭魔幸破光

話説孫大聖扶持着唐僧，與八戒、沙僧奔上大路，一直西來。不半晌，忽見一處樓閣重重，宮殿巍巍。唐僧勒馬道：「徒弟，你看那是個甚麼去處？」行者舉頭觀看，但見：

山環樓閣，溪繞亭臺。門前雜樹密森森，宅外野花香艷艷。柳間栖白鷺，渾如煙裏玉無瑕；桃内囀黄鶯，却似火中金有色。雙雙野鹿，忘情閑踏綠莎茵；對對山禽，飛語高鳴紅樹杪。真如劉阮天臺洞，不亞神仙閬苑家。

行者報道：「師父，那所在也不是王侯第宅，也不是豪富人家，却像一個庵觀寺院。到那裏方知端的。」三藏聞言，加鞭促馬。師徒們來至門前觀看，門上嵌着一塊石板，上有「黄花觀」三字。三藏下馬。八戒道：「黄花觀乃道士之家。我們進去會他一會也好，他與我們衣冠雖别，修行一般。」沙僧道：「説得是。一則進去看看景致，二來也當撒貨頭口。看方便處，安排些齋飯，與師父吃。」

長老依言，四衆共入。但見二門上有一對春聯：「黄芽白雪神仙府，瑶草琪花羽士家。」行者笑道：「這個是燒茅煉藥，弄爐火，提罐子的道士。」三藏捻他一把道：「謹言！謹言！我們不與他相識，又不認親，左右暫時一會，管他怎的？」説不了，進了二門，衹見那正殿謹閉，東廊下坐着一個道士，在那裏丸藥。你看他怎生打扮：

戴一頂紅艷艷戧金冠，穿一領黑淄淄烏皂服，踏一雙綠陣陣雲頭履，繫一條黄拂拂呂公縧。面如瓜鐵，目若朗星。準頭高大類回回，唇口翻張如達達。道心一片隱轟雷，伏虎降龍真羽士。

三藏見了，厲聲高叫道：「老神仙，貧僧問訊了。」那道士猛抬頭，一見心驚，丢了手中之藥，按簪兒，整衣服，降階迎接道：「老師父，失迎了。請裏面坐。」

長老歡喜上殿。推開門，見有三清聖像，供桌有爐有香。即拈香注爐，禮拜三匝，方與道士行禮。遂至客位中，同徒弟們坐下。急喚仙童看茶。當有兩個小童，即入裏邊，尋茶盤，洗茶盞，擦茶匙，辦茶果。忙忙的亂走，早驚動那幾個冤家。

原來那盤絲洞七個女怪與這道士同堂學藝。自從穿了舊衣，唤出兒子，徑來此處。正在後面裁剪衣服，忽見那童子看茶，便問道：「童兒，有甚客來了，這般忙冗？」仙童道：「適間有四個和尚進來，師父教來看茶。」女怪道：「可有個白胖和尚？」道：「有。」又問：「可有個長嘴大耳朵的？」道：「有。」女怪道：「你快去遞了茶，對你師父丢個眼色，着他進來，我有要緊的話説。」

果然那仙童將五杯茶拿出去。道士斂衣，雙手拿一杯遞與三藏，然後與八戒、沙僧、行者。茶罷，收鐘。小童丢個眼色。那道士就欠身道：「列位請坐。」教：「童兒，放了茶盤陪侍。等我去去就來。」此時長老與徒弟們，併一個小童出殿上觀玩不題。

却説道士走進方丈中，衹見七個女子齊齊跪倒，叫：「師兄！師兄！聽小妹子一言！」道士用手攙起道：「你們早間來時，要與我説甚麼話，可可的今日丸藥，這枝藥忌見陰人，所以不曾答你。如今又有客在外面，有話且慢慢説罷。」衆怪道：「告禀師兄。這樁事，專爲客來，方敢告訴；若客去了，縱説也没用了。」道士笑道：「你看賢妹説話，怎麼專爲客來才説？却不瘋了？且莫説我是個清静修仙之輩，就是個俗人家，有妻子老小家務事，也等客去了再處。怎麼這等不賢，替我裝幌子哩！且讓我出去。」衆怪又一齊扯住道：「師兄息怒。我問你，前邊那客，是那方來的？」道士唾着臉，不答應。衆怪道：「方纔小童進來取茶，我聞得他説，是四個和尚。」道士作怒道：「和尚便怎麼？」衆怪道：「四個和尚，内有一個白面胖的，有一個長嘴大耳的，師兄可曾問他是那裏來的？」道士道：「内中是有這兩個，你怎麼知道？想是在那裏見他來？」

女子道：「師兄原不知這個委曲。那和尚乃唐朝差往西天取經去的。今早到我洞裏化齋，委是妹子們聞得唐僧之名，將他拿了。」道士道：「你拿他怎的？」女子道：「我等久聞人説，唐僧乃十世修行的真體，有人吃他一

塊肉，延壽長生，故此拿了他。後被那個長嘴大耳朵的和尚把我們攔在濯垢泉裏，先搶了衣服，後弄本事，强要同我等洗浴，也止他不住。他就跳下水，變作一個鮎魚，在我們腿襠裏鑽來鑽去，欲行奸騙之事。果有十分憊懶！他又跳出水去，現了本相。見我們不肯相從，他就使一柄九齒釘鈀，要傷我們性命。若不是我們有些見識，幾乎遭他毒手。故此戰兢兢逃生，又着你愚外甥與他敵鬥，不知存亡如何。我們特來投兄長，望兄長念昔日同窗之雅，與我今日做個報冤之人！」

那道士聞此言，却就惱恨，遂變了聲色道：「這和尚原來這等無禮！這等憊懶！你們都放心，等我擺佈他！」衆女子謝道：「師兄如若動手，等我們都來相幫打他。」道士道：「不用打！不用打！常言道：「一打三分低。」你們都跟我來。」

衆女子相隨左右。他入房內，取了梯子，轉過床後，爬上屋梁，拿下一個小皮箱兒。那箱兒有八寸高下，一尺長短，四寸寬窄，上有一把小銅鎖兒鎖住。即于袖中拿出一方鵝黃綾汗巾兒來。汗巾鬚上繫着一把小鑰匙兒。開了鎖，取出一包兒藥來，此藥乃是：

山中百鳥糞，掃積上千斤。是用銅鍋煮，煎熬火候勻。千斤熬一杓，一杓煉三分。三分還要炒，再煅再重熏。製成此毒藥，貴似寶和珍。如若嚐他味，入口見閻君！

道士對七個女子道：「妹妹，我這寶貝，若與凡人吃，祇消一厘，入腹就死；若與神仙吃，也祇消三厘就絶；這些和尚，只怕也有些道行，須得三厘。快取等子來。」內一女子，急拿了一把等子道：「稱出一分二厘，分作四分。」却拿了十二個紅棗兒，將棗掐破些兒，揌上一厘，分在四祇茶鐘內；又將兩個黑棗兒做一個茶鐘，着一個托盤安了，對衆女說：「等我去問他。不是唐朝的便罷；若是唐朝來的，就教換茶，你却將此茶令童兒拿出。但吃了，個個身亡，就與你報了此仇，解了煩惱也。」七女感激不盡。

那道士換了一件衣服，虛禮謙恭，走將出去，請唐僧等又至客位坐下，道：「老師父莫怪。適間去後面吩咐小徒，教他們挑些青菜、蘿蔔，安排一頓素齋供養，所以失陪。」三藏道：「貧僧素手進拜，怎麼敢勞賜齋？」道士笑云：「你我都是出家人，見山門就有三升俸糧，何言素手？敢問老師父，是何寶山？到此何幹？」三藏道：「貧僧乃東土大唐駕下差往西天大雷音寺取經者。却纔路過仙宮，竭誠進拜。」道士聞言，滿面生春道：「老師乃忠誠大德之佛，小道不知，失于遠候。恕罪！恕罪！」叫：「童兒，快去換茶來。一廂作速辦齋。」那小童走將進去，衆女子招呼他來道：「這裏有現成好茶，拿出去。」那童子果然將五鐘茶拿出。道士連忙雙手拿一個紅棗兒茶鐘奉與唐僧。他見八戒身軀大，就認做大徒弟；沙僧認做二徒弟；見行者身量小，認做三徒弟：所以第四鐘才奉與行者。

行者眼乖，接了茶鐘，早已見盤子裏那茶鐘是兩個黑棗兒。他道：「先生，我與你穿換一杯。」道士笑道：「不瞞長老說。山野中貧道士，茶果一時不備。才然在後面親自尋果子，止有這十二個紅棗，做四鐘茶奉敬。小道又不可空陪，所以將兩個下色棗兒作一杯奉陪。此乃貧道恭敬之意也。」行者笑道：「說那裏話？古人云：「在家不是貧，路上貧殺人。」你是住家兒的，何以言貧！像我們這行脚僧，才是真貧哩。我和你換換。我和你換換。」三藏聞言道：「悟空，這仙長實乃愛客之意，你吃了罷，換怎的？」行者無奈，將左手接了，右手蓋住，看着他們。

却說那八戒，一則飢，二則渴，原來是食腸大大的，見那鐘子裏有三個紅棗兒，拿起來咽的都咽在肚裏。師父也吃了。沙僧也吃了。一霎時，祇見八戒臉上變色，沙僧滿眼流泪，唐僧口中吐沫。他們都坐不住，暈倒在地。

這大聖情知是毒，將茶鐘，手舉起來，望道士劈臉一摜。道士將袍袖隔起，當的一聲，把個鐘子跌得粉碎。道士怒道：「你這和尚，十分村鹵！怎麼把我鐘子碎了？」行者罵道：「你這畜生！你看我那三個人是怎麼說！我與你有甚相幹，你却將毒藥茶藥倒我的人？」道士道：「你這個村畜生，闖下禍來，你豈不知？」行者道：「我們才進你門，方叙了坐次，道及鄉貫，又不曾有個高言，那裏闖下甚禍？」道士道：「你可曾在盤絲洞化齋麼？

你可曾在濯垢泉洗澡麽？」行者道：「濯垢泉乃七個女怪。你既説出這話，必定與他苟合，必定也是妖精！不要走！吃我一棒！」好大聖，去耳朵裏摸出金箍棒，幌一幌，碗來粗細，望道士劈臉打來。那道士急轉身躲過，取一口寶劍來迎。

他兩個厮罵厮打，早驚動那裏邊的女怪。他七個一擁出來，叫道：「師兄且莫勞心，待小妹子拿他。」行者見了，越生嗔怒，雙手輪鐵棒，丢開解數，滚將進去亂打。衹見那七個敞開懷，腆着雪白肚子，臍孔中作出法來：骨都都絲繩亂冒，搭起一個天篷，把行者蓋在底下。

行者見事不諧，即翻身念聲咒語，打個筋斗，撲的撞破天篷走了；忍着性氣，淤淤的立在空中看處，見那怪絲繩幌亮，穿穿道道，却是穿梭的經緯，頃刻間，把黄花觀的樓臺殿閣都遮得無影無形。行者道：「利害！利害！早是不曾着他手！怪道猪八戒跌了若幹！似這般怎生是好！我師父與師弟却又中了毒藥。這伙怪合意同心，却不知是個甚來歷，待我還去問那土地神也。」

好大聖，按落雲頭，捻着訣，念聲『唵』字真言，把個土地老兒又拘來了，戰兢兢跪下路旁，叩頭道：「大聖，你去救你師父的，爲何又轉來也？」行者道：「早間救了師父，前去不遠，遇一座黄花觀。我與師父等進去看看，那觀主迎接。才叙話間，被他把毒藥茶藥倒我師父等。我幸不曾吃茶，使棒就打，他却説出盤絲洞化齋，濯垢泉洗澡之事，我就知那厮是怪。才舉手相敵，衹見那七個女子跑出，吐放絲繩，老孫虧有見識走了。我想你在此間爲神，定知他的來歷。是個甚麽妖精，老實説來，免打！」土地叩頭道：「那妖精到此，住不上十年。小神自三年前檢點之後，方見他的本相，乃是七個蜘蛛精。他吐那些絲繩，乃是蛛絲。」行者聞言，十分歡喜道：「據你説，却是小可。既這般，你回去，等我作法降他也。」那土地叩頭而去。

行者却到黄花觀外，將尾巴上毛捋下七十根，吹口仙氣，叫『變！』即變做七十個小行者；又將金箍棒吹口仙氣，

叫『變！』即變做七十個雙角叉兒棒。每一個小行者，與他一根。他自家使一根，站在外邊，將叉兒攪那絲繩，一齊着力，打個號子，把那絲繩都攪斷，各攪了有十餘斤。裏面拖出七個蜘蛛，足有巴鬥大的身軀。一個個攢着手脚，索着頭，衹叫：「饒命！饒命！」此時七十個小行者，按住七個蜘蛛，那裏肯放。行者道：「且不要打他，衹教還我師父、師弟來。」那怪厲聲高叫道：「師兄，還他唐僧，救我命也！」那道士從裏邊跑出道：「妹妹，我要吃唐僧哩，救不得你了。」行者聞言，大怒道：「你既不還我師父，且看你妹妹的樣子！」好大聖，把叉兒棒幌一幌，復了一根鐵棒，雙手舉起，把七個蜘蛛精，盡情打爛，却似七個劖肉袋兒，膿血淋淋。却又將尾巴摇了兩摇，收了毫毛，單身輪棒，趕入裏邊來打道士。

那道士見他打死了師妹，心甚不忍，即發狠舉劍來迎。這一場各懷忿怒，一個個大展神通。這一場好殺：

妖精輪寶劍，大聖舉金箍。都爲唐朝三藏，先教七女嗚呼。如今大展經綸手，施威弄法逞金吾。大聖神光壯，妖仙膽氣粗。渾身解數如花錦，雙手騰那似轆轤。乒乓劍棒響，慘淡野雲浮。劖言語，使機謀，一來一往如畫圖。殺得風響沙飛狼虎怕，天昏地暗斗星無。

那道士與大聖戰經五六十合，漸覺手軟，一時間鬆了筋節，便解開衣帶，忽辣的響一聲，脱了皂袍。行者笑道：「我兒子！打不過人，就脱剥了也是不能够的！」原來這道士剥了衣裳，把手一齊抬起，衹見那兩脅下有一千衹眼，眼中迸放金光，十分利害。

森森黄霧，艷艷金光。森森黄霧，兩邊脅下似噴雲；艷艷金光，千衹眼中如放火。左右却如金桶，東西猶似銅鐘。此乃妖仙施法力，道士顯神通：幌眼迷天遮日月，罩人爆燥氣朦朧；把個齊天孫大聖，困在金光黄霧中。

行者慌了手脚，衹在那金光影裏亂轉，向前不能舉步，退後不能動脚，却便似在個桶裏轉的一般。無奈又爆燥不過，他急了，往上着實一跳，却撞破金光，撲的跌了一個倒栽葱；覺道撞的頭疼，急伸手摸摸，把頂梁皮都

撞軟了。自家心焦道：「晦氣！晦氣！這顆頭今日也不濟了！常時刀砍斧剁，莫能傷損，却怎麼被這金光撞軟了皮肉？久以後定要貢膿。縱然好了，也是個破傷風。」一會家爆燥難禁。却又自家計較道：「前去不得，後退不得，左行不得，右行不得，往上又撞不得，却怎麼好？往下走他娘罷！」

好大聖，念個咒語，搖身一變，變做個穿山甲，又名鯪鯉鱗。真個是：

四祇鐵爪，鑽山碎石如撾粉；滿身鱗甲，破嶺穿岩似切葱。兩眼光明，好便似雙星幌亮；一嘴尖利，勝强似鋼鑽金錐。藥中有性穿山甲，俗語呼爲鯪鯉鱗。

你看他硬着頭，往地下一鑽，就鑽了有二十餘裏，方纔出頭。原來那金光衹罩得十餘裏。出來現了本相，力軟筋麻，渾身疼痛，止不住眼中流泪。忽失聲叫道：「師父啊！

當年秉教出山中，共往西來苦用工。大海洪波無恐懼，陽溝之内却遭風！」

美猴王正當悲切，忽聽得山背後有人啼哭，即欠身揩了眼泪，回頭觀看。但見一個婦人，身穿重孝，左手托一盞凉漿水飯，右手執幾張燒紙黄錢，從那厢一步一聲，哭着走來。行者點頭嗟嘆道：「正是「流泪眼逢流泪眼，斷腸人遇斷腸人！」這一個婦人，不知所哭何事，待我問他一問。」那婦人，不一時走上路來，迎着行者。行者躬身問道：「女菩薩，你哭的是甚人？」婦人噙泪道：「我丈夫因與黄花觀觀主買竹竿争講，被他將毒藥茶藥死，我將這陌紙錢燒化，以報夫婦之情。」行者聽言，眼中泪下。那婦女見了作怒道：「你甚無知！我爲丈夫煩惱生悲，你怎麼泪眼愁眉，欺心戲我？」

行者躬身道：「女菩薩息怒。我本是東土大唐欽差御弟唐三藏大徒弟孫悟空行者。因往西天，行過黄花觀歇馬。那觀中道士，不知是個甚麼妖精，他與七個蜘蛛精，結爲兄妹。蜘蛛精在盤絲洞要害我師父，是我與師弟八戒、沙僧，救解得脱。那蜘蛛精走到他這裏，背了是非，説我等有欺騙之意。道士將毒藥茶藥倒我師父、師弟共三人，連馬四口，陷在他觀裏。惟我不曾吃他茶，將茶鐘摜碎，他就與我相打。正嚷時，那七個蜘蛛精跑出來吐放絲繩，將我捆住，是我使法力走脱。問及土地，説他本相，我却又使分身法攬絶絲繩，拖出妖來，一頓棒打死。這道士即與他報仇，舉寶劍與我相鬥。鬥經六十回合，他敗了陣，隨脱了衣裳，兩脅下放出千祇眼，有萬道金光，把我罩定。所以進退兩難，才變做一個鯪鯉鱗，從地下鑽出來。正自悲切，忽聽得你哭，故此相問。因見你爲丈夫，有此紙錢報答，我師父喪身，更無一物相酬，所以自怨生悲。豈敢相戲！」

那婦女放下水飯、紙錢，對行者陪禮道：「莫怪，莫怪，我不知你是被難者。才據你説將起來，你不認得那道士。他本是個百眼魔君，又喚做多目怪。你既然有此變化，脱得金光，戰得許久，必定有大神通，却只是還近不得那廝。我教你去請一位聖賢，他能破得金光，降得道士。」行者聞言，連忙唱喏道：「女菩薩知此來歷，煩爲指教指教。果是那位聖賢，我去請求，救我師父之難，就報你丈夫之仇。」婦人道：「我就説出來，你去請他，降了道士，衹可報仇而已，恐不能救你師父。」行者道：「怎不能救？」婦人道：「那廝毒藥最狠：藥倒人，三日之間，骨髓俱爛。你此往回恐遲了，故不能救。」行者道：「我會走路，憑他多遠，千里衹消半日。」女子道：「你既會走路，聽我説：此處到那裏有千里之遥。那厢有一座山，名喚紫雲山。山中有個千花洞。洞中有位聖賢，喚做毗藍婆。他能降得此怪。」行者道：「那山坐落何方？却從何方去？」女子用手指定道：「那直南上便是。」行者回頭看時，那女子早不見了。

行者慌忙禮拜道：「是那位菩薩？我弟子鑽昏了，不能相識，千乞留名，好謝！」衹見那半空中叫道：「大聖，是我。」行者急抬頭看處，原是黎山老母。趕至空中謝道：「老母從何來指教我也？」老母道：「我纔自龍華會上回來，見你師父有難，假做孝婦，借夫喪之名，免他一死。你快去請他。但不可説出是我指教，那聖賢有些多怪人。」

行者謝了。辭别，把筋斗雲一縱，隨到紫雲山上。按定雲頭，就見那千花洞。那洞外：

青松遮勝境，翠柏繞仙居。緑柳盈山道，奇花滿澗渠。香蘭圍石屋，芳草映岩嵎。流水連溪碧，雲封古樹虚。

野禽聲聒聒，幽鹿步徐徐。修竹枝枝秀，紅梅葉葉舒。寒鴉栖古樹，春鳥噪高樗。夏麥盈田廣，秋禾遍地餘。四時無葉落，八節有花如。每生瑞靄連霄漢，常放祥雲接太虛。

這大聖喜喜歡歡走將進去，一程一節，看不盡無邊的景致。直入裏面，更沒個人兒，見靜靜悄悄的，鷄犬之聲也無。心中暗道：『這聖賢想是不在家了。』又進數裏看時，見一個女道姑坐在榻上。你看他怎生模樣：

頭戴五花納錦帽，身穿一領織金袍。脚踏雲尖鳳頭履，腰系攢絲雙穗縧。面似秋容霜後老，聲如春燕社前嬌。腹中久諳三乘法，心上常修四諦饒。悟出空空真正果，煉成了了自逍遙。正是千花洞裏佛，毗藍菩薩姓名高。

行者止不住脚，近前叫道：『毗藍婆菩薩，問訊了。』那菩薩即下榻，合掌回禮道：『大聖，失迎了。你從那裏來的？』行者道：『你怎麽就認得我是大聖？』毗藍婆道：『你當年大鬧天宮時，普地裏傳了你的形象，誰人不知，那個不識？』行者道：『正是「好事不出門，惡事傳千里」。像我如今皈正佛門，你就不曉的了！』毗藍道：『幾時皈正？恭喜！恭喜！』行者道：『近能脱命，保師父唐僧上西天取經，師父遇黄花觀道士，將毒藥茶藥倒。我與那廝賭鬥，他就放金光罩住我，是我使神通走脱了。聞菩薩能滅他的金光，特來拜請。』菩薩道：『是誰與你說的？我自赴了盂蘭會，到今三百餘年，不曾出門。我隱姓埋名，更無一人得知，你却怎麽知道？』行者道：『我是個地裏鬼，不管那裏，自家都會訪着。』毗藍道：『也罷，也罷。我本當不去，奈蒙大聖下臨，不可滅了求經之善，我和你去來。』

行者稱謝了。道：『我忒無知，擅自催促，但不知曾帶甚麽兵器。』菩薩道：『我有個綉花針兒，能破那廝。』行者忍不住道：『老姆誤了我，早知是綉花針，不須勞你，就問老孫要一擔也是有的。』毗藍道：『你那綉花針，無非是鋼鐵金針，用不得。我這寶貝，非鋼，非鐵，非金，乃我小兒日眼裏煉成的。』行者道：『令郎是誰？』毗藍道：『小兒乃昴日星官。』行者驚駭不已。早望見金光艷艷，即回向毗藍道：『金光處便是黄花觀也。』毗藍隨于衣領裏取出一個綉花針，似眉毛粗細，有五六分長短，拈在手，望空拋去。少時間，響一聲，破了金光。行者喜道：『菩薩，妙哉，妙哉！尋針，尋針！』毗藍托在手掌内道：『這不是？』行者却同按下雲頭，走入觀裏，祇見那道士合了眼，不能舉步。行者駡道：『你這潑怪裝瞎子哩！』耳朵裏取出棒來就打。毗藍扯住道：『大聖莫打。且看你師父去。』

行者徑至後面客位裏看時，他三人都睡在地上吐痰吐沫哩。行者垂泪道：『却怎麽好！却怎麽好！』毗藍道：『大聖休悲。也是我今日出門一場，索性積個陰德，我這裏有解毒丹，送你三丸。』行者轉身拜求。那菩薩袖中取出一個破紙包兒，内將三粒紅丸子遞與行者，教放入口裏。行者把藥扳開他們牙關，每人揌了一丸。須臾，藥味入腹，便就一齊嘔噦，遂吐出毒味，得了性命。那八戒先爬起道：『悶殺我也！』三藏、沙僧俱醒了道：『好暈也！』行者道：『你們那茶裏中了毒了。虧這毗藍菩薩搭救，快都來拜謝。』三藏欠身整衣謝了。

八戒道：『師兄，那道士在那裏？等我問他一問，爲何這般害我。』行者把蜘蛛精上項事，説了一遍。八戒發狠道：『這廝既與蜘蛛爲姊妹，定是妖精！』行者指道：『他在那殿外立定裝瞎子哩。』八戒拿鈀就築，又被毗藍止住道：『天蓬息怒。大聖知我洞裏無人，待我收他去看守門户也。』行者道：『感蒙大德，豈不奉承！但只是教他現本像，我們看看。』毗藍道：『容易。』即上前用手一指，那道士撲的倒在塵埃，現了原身，乃是一條七尺長短的大蜈蚣精。毗藍使小指頭挑起，駕祥雲，徑轉千花洞去。八戒打仰道：『這媽媽兒却也利害，怎麽就降這般惡物？』行者笑道：『我問他有甚兵器破他金光，他道有個綉花針兒，是他兒子在日眼裏煉的。及問他令郎是誰，他道是昴日星官。我想昴日星是祇公鷄，這老媽媽必定是個母鷄。鷄最能降蜈蚣，所以能收伏也。』

三藏聞言，頂禮不盡。教：『徒弟們，收拾去罷。』那沙僧即在裏面尋了些米糧，安排了些齋，俱飽餐一頓。牽馬挑擔，請師父出門。行者從他厨中放了一把火，把一座觀霎時燒得煨燼，却拽步長行。正是：

唐僧得命感毗藍，了性消除多目怪。

畢竟向前去還有甚麼事體，且聽下回分解。

總批：

蜈蚣前號『百眼魔君』，後來却成瞎子，使盡聰明，到底成個大呆子也。此喻最妙。○七個大蜘蛛，一條老蜈蚣，人以爲怪矣毒矣，豈知不過是你妄心別號，切不可看在外邊也。

第七十四回 長庚傳報魔頭狠 行者施爲變化能

情欲原因總一般，有情有欲自如然。沙門修煉紛紛士，斷欲忘情即是禪。須着意，要心堅，一塵不染月當天。行功進步休教錯，行滿功完大覺仙。

話表三藏師徒們打開欲網，跳出情牢，放馬西行。走多時，又是夏盡秋初，新涼透體。但見那：

急雨收殘暑，梧桐一葉驚。螢飛莎徑晚，蛩語月華明。黄葵開映露，紅蓼遍沙汀。蒲柳先零落，寒蟬應律鳴。

三藏正然行處，忽見一座高山，峰插碧空，真個是摩星礙日。長老心中害怕，叫悟空道：『你看前面這山，十分高聳，但不知有路通行否。』行者笑道：『師父說那裏話。自古道：「山高自有客行路，水深自有渡船人。」豈無通達之理？可放心前去。』長老聞言，喜笑花生，揚鞭策馬而進，徑上高岩。

行不數裏，見一老者，鬢蓬鬆，白髮飄搖；鬚稀朗，銀絲擺動；項挂一串數珠子，手持拐杖現龍頭，遠遠的立在那山坡上高呼：『西進的長老，且暫住驊騮，緊兜玉勒。這山上有一伙妖魔，吃盡了閻浮世上人，不可前進！』三藏聞言，大驚失色。一是馬的足下不平，二是坐個雕鞍不穩，撲的跌下馬來，挣挫不動，睡在草裏哼哩。行者近前攙起道：『莫怕，莫怕！有我哩！』長老道：『你聽那高岩上老者，報道這山上有伙妖魔，吃盡閻浮世上人，誰敢去問他一個真實端的？』行者道：『你且坐地，等我去問他。』三藏道：『你的相貌醜陋，言語粗俗，怕衝撞了他，問不出個實信。』行者笑道：『我變個俊些兒的去問他。』三藏道：『你是變了我看。』好大聖，捻着訣，摇身一變，變做個乾乾净净的小和尚兒，真個是目秀眉清，頭圓臉正；行動有斯文之氣象，開口無俗類之言辭；抖一抖錦衣直裰，拽步上前。向唐僧道：『師父，我可變得好麼？』三藏見了大喜道：『變得好！』八戒道：『怎麼不好！只是把我們都比下去了。老豬就滾上二三年，也變不得這等俊俏！』

好大聖，躲離了他們，徑直近前，對那老者躬身道：『老公公，貧僧問訊了。』那老兒見他生得俊雅，年少身輕，

執一根金箍棒，立在石崖之下，就像個活雷公。那老者見了，唬得面容失色，腿脚酸麻，站不穩，撲的一跌，爬起來，又一個蹦踵。大聖上前道：『老官兒，不要虛驚。我等面惡人善。莫怕！莫怕！適間蒙你好意，報有妖魔。委的有多少怪，一發累你說說，我好謝你。』那老兒戰戰兢兢，口不能言，又推耳聾，一句不應。

行者見他不言，即抽身回坡。長老道：『悟空，你來了？所問如何？』行者笑道：『不打緊！不打緊！西天有便有個把妖精兒，只是這裏人膽小，把他放在心上。没事，没事！有我哩！』長老道：『你可曾問他此處是甚麼山，甚麼洞，有多少妖怪，那條路通得雷音？』八戒道：『師父，莫怪我說。若論賭變化，使捉掐，捉弄人，我們三五個也不如師兄；若論老實，像師兄就擺一隊伍，也不如我。』唐僧道：『正是！正是！你還老實。』八戒道：『他不知怎麼鑽過頭不顧尾的，問了兩聲，不尷不尬的就跑回來了。等老豬去問他個實信來。』唐僧道：『悟能，你仔細着。』

好呆子，把釘鈀撒在腰裏，整一整皂直裰，扭扭捏捏，奔上山坡，對老者叫道：『公公，唱喏了。』那老兒見行者回去，方拄着杖掙得起來，戰戰兢兢的要走，忽見八戒，愈覺驚怕道：『爺爺呀！今夜做的甚麼惡夢，遇着這伙惡人！爲先的那和尚醜便醜，還有三分人相；這個和尚，怎麼這等個碓梃嘴，蒲扇耳朵，鐵片臉，鬃毛頸項，一分人氣兒也没有了！』八戒笑道：『你這老公公不高興，有些兒好褒貶人。你是怎的看我哩？醜便醜，奈看，再停一時就俊了。』那老者見他說出人話來，只得開言問他：『你是那裏來的？』八戒道：『我是唐僧第二個徒弟，法名叫做悟能八戒。才自先問的，叫做悟空行者，是我師兄。師父怪他衝撞了公公，不曾問得實信，所以特着我來拜問。此處果是甚山、甚洞，洞裏果是甚妖精，那裏是西去大路，煩尊一指示指示。』老者道：『可老實麼？』八戒道：『我生平不敢有一毫虛的。』老者道：『你莫像才來的那個和尚走花弄水的胡纏。』八戒道：『我不像他。』公公拄着杖，對八戒說：『此山叫做八百里獅駝嶺。中間有座獅駝洞。洞裏有三個魔頭。』八戒啐了一聲：『你這老兒却也多心！三個妖魔，也費心勞力的來報遭信！』公公道：『你不怕麼？』八戒道：『不瞞你說。這三個妖魔，我師兄一棍就打死一個，我一鈀就築死一個；我還有個師弟，他一降妖杖又打死一個。三個都打死，我師父就過去了，有何難哉！』那老者笑道：『這和尚不知深淺！那三個魔頭，神通廣大得緊哩！他手下小妖，南嶺上有五千，北嶺上有五千；東路口有一萬，西路口有一萬；巡哨的有四五千，把門的也有一萬；燒火的無數，打柴的也無數：共計算有四萬七八千。這都是有名字帶牌兒的，專在此吃人。』

那呆子聞得此言，戰兢兢跑將轉來，相近唐僧，且不回話，放下鈀，在那裏出恭。行者見了，喝道：『你不回話，却蹲在那裏怎的？』八戒道：『唬出屎來了！如今也不消說，趕早兒各自顧命去罷！』行者道：『這個呆根！我問信偏不驚恐，你去問就這等慌張失智！』長老道：『端的何如？』八戒道：『這老兒說：此山叫做八百里獅駝山。中間有座獅駝洞。洞裏有三個老妖，有四萬八千小妖，專在那裏吃人。我們若躧着他些山邊兒，就是他口裏食了。莫想去得！』三藏聞言，戰兢兢，毛骨悚然，道：『悟空，如何是好？』行者笑道：『師父放心，没大事。想是這裏有便有幾個妖精，只是這裏人膽小，把他就說出許多人，許多大，所以自驚自怪。有我哩！』八戒道：『哥哥說的是那裏話！我比你不同：我問的是實，决無虛謬之言。滿山滿谷都是妖魔，怎生前進？』行者笑道：『呆子嘴臉！不要虛驚！若論滿山滿谷之魔，衹消老孫一路棒，半夜打個罄盡！』八戒道：『不羞，不羞！莫說大話！那些妖精點卯也得七八日，怎麼就打得罄盡？』行者道：『你說怎樣打？』八戒道：『憑你抓倒，捆倒，使定身法定倒，也没有這等快的。』行者笑道：『不用甚麼抓拿捆縛。我把這棍子兩頭一扯，叫「長！」就有四十丈長短；幌一幌，叫「粗！」就有八丈圍圓粗細。往山南一滾，滾殺五千；山北一滾，滾殺五千；從東往西一滾，只怕四五萬砍做肉泥爛醬！』八戒道：『哥哥，若是這等趕面打，或者二更時也都了了。』沙僧在旁笑道：『師父，有大師兄恁樣神通，怕他怎的！請上馬走啊。』唐僧見他們講論手段，没奈何，只得寬心上馬而走。

待答不答的，還了他個禮，用手摸着他頭兒，笑嘻嘻問道：『小和尚，你是那裏來的？』行者道：『我們是東土大唐來的，特上西天拜佛求經。適到此間，聞得公公報道有妖怪，我師父膽小怕懼，着我來問一聲：端的是甚妖精，他敢這般短路！煩公公細説與我知之，我好把他貶解起身。』那老兒笑道：『你這小和尚年幼，不知好歹，言不幫襯。那妖魔神通廣大得緊，怎敢就説貶解他起身！』行者笑道：『據你之言，似有護他之意，必定與他有親，或是緊鄰契友；不然，怎麽長他的威智，興他的節概，不肯傾心吐膽説他個來歷。』公公點頭笑道：『這和尚倒會弄嘴！想是跟你師父遊方，到處兒學些法術，或者會驅縛魍魎，與人家鎮宅降邪，你不曾撞見十分狠怪哩！』行者道：『怎的狠？』公公道：『那妖精一封書到靈山，五百阿羅都來迎接；一紙簡上天宮，十一大曜個個相欽。四海龍曾與他爲友，八洞仙常與他作會。十地閻君以兄弟相稱，社令、城隍以賓朋相愛。』

大聖聞言，忍不住呵呵大笑，用手扯着老者道：『不要説！不要説！那妖精與我後生小厮爲兄弟、朋友，也不見十分高作。若知是我小和尚來啊，他連夜就搬起身去了！』公公道：『你這小和尚胡説！不當人子！那個神聖是你的後生小厮？』行者笑道：『實不瞞你説。我小和尚祖居傲來國花果山水簾洞，姓孫，名悟空。當年也曾做過妖精，幹過大事。曾因會衆魔，多飲了幾杯酒睡着，夢中見二人將批勾我去到陰司。一時怒發，將金箍棒打傷鬼判，唬倒閻王，幾乎掀翻了森羅殿。嚇得那掌案的判官拿紙，十閻王僉名畫字，教我饒他打，情願與我做後生小厮。』那公公聞説道：『阿彌陀佛！這和尚説了這過頭話，莫想再長得大了。』行者道：『官兒，似我這般大也够了。』公公道：『你年幾歲了？』行者道：『你猜猜看。』老者道：『有七八歲罷了。』行者笑道：『有一萬個七八歲！我把舊嘴臉拿出來你看看，你即莫怪。』公公道：『怎麽又有個嘴臉？』行者道：『我小和尚果有七十二副嘴臉哩。』

那公公不識竅，衹管問他，他就把臉抹一抹，即現出本像，咨牙倈嘴，兩股通紅，腰間繫一條虎皮裙，手裏

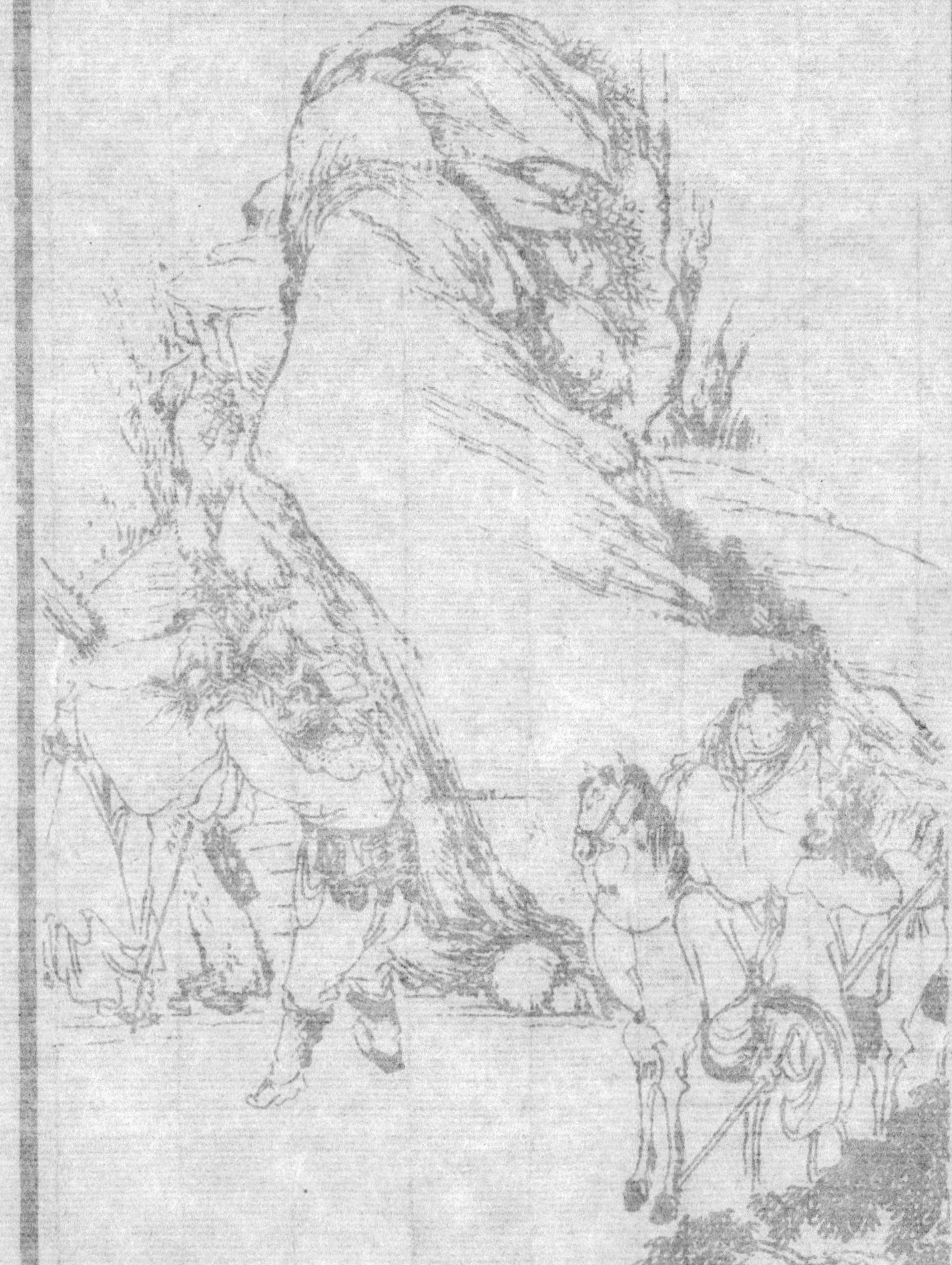

正行間，不見了那報信的老者。沙僧道：『他就是妖怪，故意狐假虎威的來傳報，恐唬我們哩。』行者道：『不要忙，等我去看看。』好大聖，跳上高峰，四顧無跡，急轉面，見半空中有彩霞幌亮，即縱雲趕上看時，乃是太白金星。走到身邊，用手扯住，口口聲聲祇叫他的小名道：『李長庚！李長庚！你好憊懶！有甚話，當面來説便好；怎麼裝做個山林之老，魘樣混我！』金星慌忙施禮道：『大聖，報信來遲，乞勿罪！乞勿罪！這魔頭果是神通廣大，勢要崢嶸，祇看你挪移變化，乖巧機謀，可便過去；如若怠慢些兒，其實難去。』行者謝道：『感激！感激！果然此處難行，望老星上界與玉帝説聲，借些天兵幫助老孫幫助。』金星道：『有！有！有！你祇口信帶去，就是十萬天兵，也是有的。』

大聖別了金星，按落雲頭，見了三藏道：『適纔那個老兒，原是太白星來與我們報信的。』長老合掌道：『徒弟，快趕上他，問他那裏另有個路，我們轉了去罷。』行者道：『轉不得。此山徑過有八百里，四周圍不知更有多少路哩，怎麼轉得？』三藏聞言，止不住眼中流淚道：『徒弟，似此艱難，怎生拜佛！』行者道：『莫哭！莫哭！一哭便膿包行了！他這報信，必有幾分虛話，只是要我們着意留心，誠所謂「以告者，過也。」你且下馬來坐着。』八戒道：『又有甚商議？』行者道：『没甚商議。你且在這裏用心保守師父。沙僧好生看守行李、馬匹。等老孫先上嶺打聽打聽，看前後共有多少妖怪，拿住一個，問他個詳細，教他寫個執結，開個花名，把他老老小小，一一查明，吩咐他關了洞門，不許阻路，却請師父靜靜悄悄的過去，方顯得老孫手段！』沙僧祇教：『仔細！仔細！』行者笑道：『不消囑咐。我這一去，就是東洋大海也蕩開路，就是鐵裹銀山也撞透門！』

好大聖，唿哨一聲，縱筋斗雲，跳上高峰。扳藤負葛，平山觀看，那山裏靜悄無人。忽失聲道：『錯了！錯了！不該放這金星老兒去了。他原來恐唬我。這裏那有個甚麼妖精！他就出來跳風頑耍，必定拈槍弄棒，操演武藝；如何没有一個？』正自家揣度，祇聽得山背後，叮叮噹噹，辟辟剥剥，梆鈴之聲。急回頭看處，原來是個小妖兒，掮着一桿『令』字旗，腰間懸着鈴子，手裏敲着梆子，從北向南而走。仔細看他，有一丈二尺的身子。行者暗笑道：『他必是個鋪兵。想是送公文下報帖的。且等我去聽他一聽，看他説些甚話。』

好大聖，捻着訣，念個咒，摇身一變，變做個蒼蠅兒，輕輕飛在他帽子上，側耳聽之。祇見那小妖走上大路，敲着梆，摇着鈴，口裏作念道：『我等尋山的，各人要謹慎堤防孫行者：他會變蒼蠅！』行者聞言，暗自驚疑道：『這廝看見我了；若未看見，怎麼就知我的名字，又知我會變蒼蠅！』原來那小妖也不曾見他，只是那魔頭不知怎麼就吩咐他這話，却是個謠言，着他這等胡念。行者不知，反疑他看見，就要取出棒來打他，却又停住，暗想道：『曾記得八戒問金星時，他説老妖三個，小妖有四萬七八千名。似這小妖，再多幾萬，也不打緊，却不知這三個老魔有多大手段。等我問他一問，動手不遲。』

好大聖！你道他怎麼去問：跳下他的帽子來，釘在樹頭上，讓那小妖先行幾步，急轉身騰那，也變做個小妖兒，照依他敲着梆，摇着鈴，掮着旗，一般衣服，只是比他略長了三五寸，口裏也那般念着，趕上前叫道：『走路的，等我一等。』那小妖回頭道：『你是那裏來的？』行者笑道：『好人呀！一家人也不認得！』小妖道：『我家没你呀。』行者道：『怎的没我？你認認看。』小妖道：『面生，認不得！認不得！』行者道：『可知道面生。我是燒火的，你會得我少。』小妖摇頭道：『没有！没有！我洞裏就是燒火的那些兄弟，也没有這個嘴尖的。』行者暗想道：『這個嘴好的變尖了些了。』即低頭，把手侮着嘴揉一揉道：『我的嘴不尖啊。』真個就不尖了。那小妖道：『你剛纔是個尖嘴，怎麼揉一揉就不尖了？疑惑人子！大不好認！不是我一家的！少會，少會！可疑，可疑！我那大王家法甚嚴，燒火的祇管燒火，巡山的祇管巡山，終不然教你燒火，又教你來巡山？』行者口乖，就趁過來道：『你不知道。大王見我燒得火好，就陞我來巡山。』

小妖道：『也罷；我們這巡山的，一班有四十名，十班共四百名，各自年貌，各自名色。大王怕我們亂了班

次，不好點卯，一家與我們一個牌兒爲號。你可有牌兒？」行者衹見他那般打扮，那般報事，遂照他的模樣變了；因不曾看見他的牌兒，所以身上没有。好大聖，更不說没有，就滿口應承道：「我怎麽没牌？但只是剛纔領的新牌。拿你的出來我看。」

那小妖那裏知這個機關，即揭起衣服，貼身帶着個金漆牌兒，穿條絨綫繩兒，扯與行者看看。行者見那牌背是個『威鎮諸魔』的金牌，正面有三個真字，是『小鑽風』，他却心中暗想道：「不消說了！但是巡山的，必有個『風』字墜脚。」便道：「你且放下衣走過，等我拿牌兒你看。」即轉身，插下手，將尾巴梢兒的小毫毛拔下一根，撚他把，叫『變！』即變做個金漆牌兒，也穿上個緑絨繩兒，上書三個真字，乃『總鑽風』，拿出來，遞與他看了。小妖大驚道：「我們都叫做個小鑽風，偏你又叫做個甚麽『總鑽風』！」行者幹事找絶，説話合宜，就道：「你實不知。大王見我燒得火好，把我陞個巡風；又與我個新牌，叫做『總鑽風』，教我管你這一班四十名兄弟也。」那妖聞言，即忙唱喏道：「長官，長官，新點出來的，實是面生。言語衝撞，莫怪！」行者還着禮笑道：「怪便不怪你，只是一件：見面錢却要哩。每人拿出五兩來罷。」小妖道：「長官不要忙，待我向南嶺頭會了我這一班的人，一總打發罷。」行者道：「既如此，我和你同去。」那小妖真個前走，大聖隨後相跟。

不數裏，忽見一座筆峰。何以謂之筆峰？那山頭上長出一條峰來，約有四五丈高，如筆插在架上一般，故以爲名。行者到邊前，把尾巴掬一掬，跳上去，坐在峰尖兒上。叫道：「鑽風！都過來！」那些小鑽風在下面躬身道：「長官，伺候。」行者道：「你可知大王點我出來之故？」小妖道：「不知。」行者道：「大王要吃唐僧，只怕孫行者神通廣大，說他會變化：祇恐他變作小鑽風，來這裏躧着路徑，打探消息，把我陞作總鑽風，來查勘你們這一班可有假的。」小鑽風連聲應道：「長官，我們俱是真的。」行者道：「你既是真的，大王有甚本事，你可曉得？」小鑽風道：「我曉得。」行者道：「你曉得，快說來我聽。如若說得合着我，便是真的；若說差了一些兒，便是假的。我定拿去見

大王處治。」

那小鑽風見他坐在高處，弄獐弄智，呼呼喝喝的，沒奈何，只得實說道：「我大王神通廣大，本事高强，一口曾吞了十萬天兵。」行者聞說，吐出一聲道：「你是假的！」小鑽風慌了道：「長官老爺，我是真的，怎麽說是假的？」行者道：「你既是真的，如何胡說！大王身子能有多大，一口都吞了十萬天兵？」小鑽風道：「長官原來不知。我大王會變化，要大能撑天堂，要小就如菜子。因那年王母娘娘設蟠桃大會，邀請諸仙，他不曾具柬來請，我大王意欲爭天，被玉皇差十萬天兵來降我大王，是我大王變化法身，張開大口，似城門一般，用力吞將去，唬得衆天兵不敢交鋒，關了南天門，故此是一口曾吞十萬兵。」

行者聞言暗笑道：「若是講手頭之話，老孫也曾幹過。」又應聲道：「二大王有何本事？」小鑽風道：「二大王身高三丈，卧蠶眉，丹鳳眼，美人聲，匾擔牙，鼻似蛟龍。若與人爭鬥，衹消一鼻子捲去，就是鐵背銅身，也就魂亡魄喪！」行者道：「鼻子捲人的妖精也好拿。」

又應聲道：「三大王也有幾多手段？」小鑽風道：「我三大王不是凡間之怪物，名號雲程萬里鵬，行動時，摶風運海，振北圖南。隨身有一件兒寶貝，喚做『陰陽二氣瓶』。假若是把人裝在瓶中，一時三刻，化爲漿水。」

行者聽說，心中暗驚道：「妖魔倒也不怕，只是仔細防他瓶兒。」又應聲道：「三個大王的本事，你倒也說得不差，與我知道的一樣；但只是那個大王要吃唐僧哩？」小鑽風道：「長官，你不知道？」行者喝道：「我比你不知些兒！因恐汝等不知底細，吩咐我來着實盤問你哩！」小鑽風道：「我大大王與二大王久住在獅駝嶺獅駝洞。三大王不在這裏住。他原住處離此西下有四百里遠近。那廂有座城，喚做獅駝國。他五百年前吃了這城國王及文武官僚，滿城大小男女也盡被他吃了乾凈，因此上奪了他的江山。如今盡是些妖怪。不知那一年打聽得東土唐朝差一個僧人去西天取經，說那唐僧乃十世修行的好人，有人吃他一塊肉，就延壽長生不老；衹因怕他一個徒弟孫

行者十分利害，自家一個難爲，徑來此處與我這兩個大王結爲兄弟，合意同心，打伙兒捉那個唐僧也。」

行者聞言，心中大怒道：「這潑魔十分無禮！我保唐僧成正果，他怎麽算計要吃我的人！」恨一聲，咬響鋼牙，掣出鐵棒，跳下高峰，把棍子望小妖頭上砑了一砑，可憐，就砑得像一個肉陀！自家見了，又不忍道：「咦！他倒是個好意，把些家常話兒都與我說了，我怎麽却這一下子就結果了他？也罷，也罷！左右是左右！」好大聖，衹爲師父阻路，沒奈何幹出這件事來。就把他牌兒解下，帶在自家腰裏，將「令」字旗掮在背上，腰間挂了鈴，手裏敲着梆子，迎風捻個訣，口裏念個咒語，搖身一變，變的就像小鑽風模樣；拽回步，徑轉舊路，找尋洞府，去打探那三個老妖魔的虛實。這正是：

千般變化美猴王，萬樣騰那真本事！

闖入深山，依着舊路，正走處，忽聽得人喊馬嘶之聲，即舉目觀之，原來是獅駝洞口有萬數小妖排列着槍刀劍戟，旗幟旌旄。這大聖心中暗喜道：「李長庚之言，真是不妄！真是不妄！」原來這擺列的有些路數：二百五十名作一大隊伍。他衹見有四十名雜彩長旗，迎風亂舞，就知有萬名人馬；却又自揣自度道：「老孫變作小鑽風，這一進去，那老魔若問我巡山的話，我必隨機答應。倘或一時言語差訛，認得我啊，怎生脫體？就要往外跑時，那伙把門的擋住，如何出得門去？要拿洞裏妖王，必先除了門前衆怪！」

你道他怎麽除得衆怪？好大聖，想着：「那老魔不曾與我會面，就知我老孫的名頭，我且倚着我的這個名頭，仗着威風，說些大話，嚇他一嚇看。果然中土衆僧有緣有分，取得經回，這一去，衹消我幾句英雄之言，就嚇退那門前若乾之怪；假若衆僧無緣無分，取不得真經啊，就是縱然說得蓮花現，也除不得西方洞外精。」心問口，口問心，思量此計，敲着梆，搖着鈴，徑直闖到獅駝洞口，早被前營上小妖擋住道：「小鑽風來了？」行者不應，低着頭就走。

走至二層營裏，又被小妖扯住道：『小鑽風來了？』行者道：『來了。』衆妖道：『你今早巡風去，可曾撞見甚麽孫行者麽？』行者道：『撞見的。正在那裏磨扛子哩。』衆妖害怕道：『他怎麽個模樣？磨甚麽扛子？』行者道：『他蹲在那澗邊，還似個開路神；若站起來，好道有十數丈長！手裏拿着一條鐵棒，就似碗來粗細的一根大扛子，在那石崖上抄一把水，磨一磨，口裏又念着：「扛子啊！這一向不曾拿你出來顯顯神通，這一去就有十萬妖精，也都替我打死！等我殺了那三個魔頭祭你！」他要磨得明了，先打死你門前一萬精哩！』那些小妖聞得此言，一個個心驚膽戰，魂散魄飛。行者又道：『列位，那唐僧的肉也不多幾斤，也分不到我處，我們替他頂這個缸怎的！不如我們各自散一散罷。』衆妖都道：『説得是。我們各自顧命去來。』假若是些軍民人等，服了聖化，就死也不敢走。原來此輩都是些狼蟲虎豹，走獸飛禽，嗚的一聲，都哄然而去了。這個倒不像孫大聖幾句鋪頭話，却就如楚歌聲吹散了八千兵！行者暗自喜道：『好了！老妖是死了，聞言就走，怎敢覿面相逢？這進去還似此言方好；若説差了，才這伙小妖有一兩個倒走進去聽得，却不走了風汛？』你看他：

存心來古洞，仗膽入深門。

畢竟不知見那個老魔頭有甚吉凶，且聽下回分解。

總批：

劈頭『打開欲網，跳出情牢』八個字極妙。可惜世人自投欲網，佔住情牢耳。

第七十五回 心猿鑽透陰陽竅 魔王還歸大道真

却説孫大聖進于洞口，兩邊觀看。衹見：

骷髏若嶺，骸骨如林。人頭髮躧成氈片，人皮肉爛作泥塵。人筋纏在樹上，乾焦晃亮如銀。真個是屍山血海，果然腥臭難聞。東邊小妖，將活人拿了剮肉；西下潑魔，把人肉鮮煮鮮烹。若非美猴王如此英雄膽，第二個凡夫也進不得他門。

不多時，行入二層門裏看時，呀！這裏却比外面不同：清奇幽雅，秀麗寬平；左右有瑶草仙花，前後有喬松翠竹。又行七八里遠近，才到三層門。閃着身，偷着眼看處，那上面高坐三個老妖，十分獰惡。中間的那個生得：

鑿牙鋸齒，圓頭方面。聲吼若雷，眼光如電。仰鼻朝天，赤眉飄焰。但行處，百獸心慌；若坐下，群魔膽戰。這一個是獸中王，青毛獅子怪。

左手下那個生得：

鳳目金睛，黄牙粗腿。長鼻銀毛，看頭似尾。圓額皺眉，身軀磊磊。細聲如窈窕佳人，玉面似牛頭惡鬼。這一個是藏齒修身多年的黄牙老象。

右手下那一個生得：

金翅鯤頭，星睛豹眼。振北圖南，剛强勇敢。變生翱翔，鷃笑龍慘。摶風翮百鳥藏頭，舒利爪諸禽喪膽。這個是雲程九萬的大鵬雕。

那兩下列着有百十大小頭目，一個個全裝披挂，介胄整齊，威風凛凛，殺氣騰騰。

行者見了，心中歡喜。一些兒不怕，大踏步，徑直進門，把梆鈴卸下。朝上叫聲『大王。』三個老魔，笑呵呵問道：『小鑽風，你來了？』行者應聲道：『來了。』『你去巡山，打聽孫行者的下落何如？』行者道：『大王在

上，我也不敢說起。」老魔道：「怎麼不敢說？」行者道：「我奉大王命，敲着梆鈴，正然走處，猛抬頭，祇看見一個人，蹲在那裏磨扛子，還像個開路神，若站將起來，足有十數丈長短。他就着那澗崖石上，抄一把水，磨一磨，口裏又念一聲，說他那扛子到此還不曾顯個神通，他要磨明，就來打大王。我因此知他是孫行者，特來報知。」

那老魔聞此言，渾身是汗，唬得戰呵呵的道：「兄弟，我說莫惹唐僧。他徒弟神通廣大，預先作了準備，磨棍打我們，却怎生是好？」教：「小的們，把洞外大小俱叫進來，關了門，讓他過去罷。」那頭目中有知道的報：「大王，門外小妖，已都散了。」老魔道：「怎麼都散了？想是聞得風聲不好也。快早關門！快早關門！」衆妖乒乒把前後門盡皆牢拴緊閉。

行者自心驚道：「這一關了門，他再問我家長裏短的事，我對不來，却不弄走了風，被他拿住？且再唬他一唬，教他開着門，好跑。」又上前道：「大王，他還說得不好。」老魔道：「他又說甚麼？」行者道：「他說拿大大王剥皮，二大王剮骨，三大王抽筋。你們若關了門不出去啊，他會變化，一時變了個蒼蠅兒，自門縫裏飛進，把我們都拿出去，却怎生是好？」老魔道：「兄弟們仔細。我這洞裏，遞年家没個蒼蠅，但是有蒼蠅進來，就是孫行者。」行者暗笑道：「就變個蒼蠅唬他一唬，好開門。」大聖閃在旁邊，伸手去腦後拔了一根毫毛，吹一口仙氣，叫「變！」即變做一個金蒼蠅，飛去望老魔劈臉撞了一頭。那老怪慌了道：「兄弟！不停當！那話兒進門來了！」驚得那大小群妖，一個個丫鈀掃帚，都上前亂撲蒼蠅。

這大聖忍不住，嗤嗤的笑出聲來。乾净他不宜笑，這一笑笑出原嘴臉來了，却被那第三個老妖魔，跳上前，一把扯住道：「哥哥，險些兒被他瞞了！」老魔道：「賢弟，誰瞞誰？」三怪道：「剛纔這個回話的小妖，不是小鑽風，他就是孫行者。必定撞見小鑽風，不知是他怎麼打殺了，却變化來哄我們哩。」行者慌了道：「他認得我了！」即把手摸摸，對老怪道：「我怎麼是孫行者？我是小鑽風。大王錯認了。」老魔笑道：「兄弟，他是小鑽風。他一日三次在面前點卯，我認得他。』又問：『你有牌兒麼？』行者道：『有。』揣着衣服，就拿出牌子。老怪一發認實道：『兄弟，莫屈了他。』三怪道：『哥哥，你不曾看見他？他才子閃着身，笑了一聲，我見他就露出個雷公嘴來。見我扯住時，他又變作個這等模樣。』叫：『小的們，拿繩來！』衆頭目即取繩索。三怪把行者扳翻倒，四馬攢蹄捆住；揭起衣裳看時，足足是個弼馬溫。原來行者有七十二般變化，若是變飛禽、走獸、花木、器皿、昆蟲之類，却就連身子滚去了；但變人物，却只是頭臉變了，身子變不過來。果然一身黄毛，兩塊紅股，一條尾巴。老妖看着道：『是孫行者的身子，小鑽風的臉皮。是他了！』教：『小的們，先安排酒來，與你三大王遞個得功之杯。既拿倒了孫行者，唐僧坐定是我們口裏食也。』三怪道：『且不要吃酒。孫行者溜撒，他會逃循之法，只怕走了。教小的們抬出瓶來，把孫行者裝在瓶裏，我們才好吃酒。』

老魔大笑道：『正是！正是！』即點三十六個小妖，入裏面開了庫房門，抬出瓶來。你説那瓶有多大？只得二尺四寸高。怎麼用得三十六個人抬？那瓶乃陰陽二氣之寶，内有七寶八卦、二十四氣，要三十六人，按天罡之數，才抬得動。不一時，將寶瓶抬出，放在三層門外，展得乾净，揭開蓋，把行者解了繩索，剥了衣服，就着那瓶中仙氣，颼的一聲，吸入裏面，將蓋子蓋上，貼了封皮。却去吃酒道：『猴兒今番入我寶瓶之中，再莫想那西方之路！若還能够拜佛求經，除是轉背摇車，再去投胎奪捨是。』你看那大小群妖，一個個笑呵呵都去賀功不題。

却説大聖到了瓶中，被那寶貝將身束得小了，索性變化，蹲在當中，半晌，倒還蔭凉，忽失聲笑道：『這妖精外有虚名，内無實事。怎麼告誦人説這瓶裝了人，一時三刻，化爲膿血？若似這般凉快，就住上七八年也無事！』咦！大聖原來不知那寶貝根由：假若裝了人，一年不語，一年蔭凉，但聞得人言，就有火來燒了。大聖未曾説完，祇見滿瓶都是火焰。幸得他有本事，坐在中間，捻着避火訣，全然不懼。耐到半個時辰，四周圍鑽出四十條蛇來咬。行者輪開手，抓將過來，盡力氣一撅，撅做八十段。少時間，又有三條火龍出來，把行者上下盤繞，着實難禁，自覺慌張無措道：『别事好處，這三條火龍難爲。再過一會不出，弄得火氣攻心，怎了？』他想道：『我把身子長一長，券破罷。』好大聖，捻着訣，念聲咒，叫『長！』即長了丈數高下，那瓶緊靠着身，也就長起去；他把身子往下一小，那瓶兒也就小下來了。行者心驚道：『難！難！難！怎麼我長他也長，我小他也小？如之奈何！』説不了，孤拐上有些疼痛，急伸手摸摸，却被火燒軟了，自己心焦道：『怎麼好？孤拐燒軟了！弄做個殘疾之人了！』忍不住吊下泪來，這正是：

遭魔遇苦懷三藏，着難臨危慮聖僧。

道：『師父啊！當年皈正，蒙觀音菩薩勸善，脱離天灾，我與你苦歷諸山，收殄多怪，降八戒，得沙僧，千辛萬苦，指望同證西方，共成正果。何期今日遭此毒魔，老孫誤入于此，傾了性命，撇你在半山之中，不能前進！想是我昔日名高，故有今朝之難！』正此凄愴，忽想起：『菩薩當年在蛇盤山曾賜我三根救命毫毛，不知有無，且等我尋一尋看。』即伸手渾身摸了一把，祇見腦後有三根毫毛，十分挺硬。忽喜道：『身上毛都如彼軟熟，祇此三根如此硬槍，必然是救我命的。』即便咬着牙，忍着疼，拔下毛，吹口仙氣，叫『變！』一根即變作金鋼鑽，一根變作竹片，一根變作綿繩。扳張篾片弓兒，牽着那鑽，照瓶底下颼颼的一頓鑽，鑽成一個眼孔，透進光亮。喜道：『造化！造化！却好出去也！』才變化出身，那瓶復蔭凉了。怎麼就凉？原來被他鑽了，把陰陽之氣泄了，故此遂凉。

好大聖，收了毫毛，將身一小，就變做個蟭蟟蟲兒，十分輕巧，細如鬚發，長似眉毛，自孔中鑽出；且還不走，徑飛在老魔頭上釘着。那老魔正飲酒，猛然放下杯兒道：『三弟，孫行者這回化了麼？』三魔笑道：『還到此時哩？』老魔教傳令抬上瓶來。那下面三十六個小妖即便抬瓶，瓶就輕了許多，慌得衆小妖報道：『大王，瓶輕了！』老魔喝道：『胡説！寶貝乃陰陽二氣之全功，如何輕了？』内中有一個勉强的小妖，把瓶提上來道：『你看這不輕了？』老魔揭蓋看時，祇見裏面透亮，忍不住失聲叫道：『這瓶裏空者，控也！』大聖在他頭上，也忍不住道一聲『我

的兒啊！搜者，走也！」衆怪聽見道：「走了！走了！」即傳令：「關門！關門！」

那行者將身一抖，收了剥去的衣服，現本相，跳出洞外。回頭罵道：「妖精不要無禮！瓶子鑽破，裝不得人了，只好拿了出恭！」喜喜歡歡，嚷嚷鬧鬧，踏着雲頭，徑轉唐僧處。那長老正在那裏撮土爲香，望空禱祝。行者且停雲頭，聽他禱祝甚的。那長老合掌朝天道：

『祈請雲霞衆位仙，六丁六甲與諸天。願保賢徒孫行者，神通廣大法無邊。』

大聖聽得這般言語，更加努力，收斂雲光，近前叫道：「師父，我來了！」長老攙住道：「悟空，勞碌！你遠探高山，許久不回，我甚憂慮。端的這山中有何吉凶？」行者笑道：「師父，才這一去，一則是東土衆僧有緣有分，二來是師父功德無量無邊，三也虧弟子法力。」將前項妝鑽風、陷瓶裏及脱身之事，細陳了一遍。「今得見尊師之面，實爲兩世之人也！」長老感謝不盡道：「你這番不曾與妖精賭鬥麽？」行者道：「不曾。」長老道：「這等保不得我過山了？」行者是個好勝的人，叫喊道：「我怎麽保你過山不得？」長老道：「不曾與他見個勝負，祇這般含糊，我怎敢前進！」大聖笑道：「師父，你也忒不通變。常言道：『單絲不綫，孤掌難鳴。』那魔三個，小妖千萬，教老孫一人，怎生與他賭鬥？」長老道：「寡不敵衆，是你一人也難處。八戒、沙僧他也都有本事，教他們都去，與你協力同心，掃浄山路，保我過去罷。」行者沉吟道：「師言最當。着沙僧保護你，着八戒跟我去罷。」那呆子慌了道：「哥哥没眼色！我又粗夯，無甚本事，走路扛風，跟你何益？」行者道：「兄弟，你雖無甚本事，好道也是個人。俗云：『放屁添風。』你也可壯我些膽氣。」八戒道：「也罷，也罷，望你帶挈帶挈。但祇急溜處，莫捉弄我。」長老道：「八戒在意，我與沙僧在此。」

那呆子抖擻神威，與行者縱着狂風，駕着雲霧，跳上高山，即至洞口。早見那洞門緊閉，四顧無人。行者上前，執鐵棒，厲聲高叫道：「妖怪開門！快出來與老孫打耶！」

那洞裏小妖報入，老魔心驚膽戰道：「幾年都説猴兒狠，話不虚傳果是真！」二老怪在旁問道：「哥哥怎麽説？」老魔道：「那行者早間變小鑽風混進來，我等不能相識。幸三賢弟認得，把他裝在瓶裏。他弄本事，鑽破瓶兒，却又攝去衣服走了。如今在外叫戰，誰敢與他打個頭仗？」更無一人答應。又問，又無人答，都是那裝聾推啞。老魔發怒道：「我等在西方大路上，忝着個醜名，今日孫行者這般藐視，若不出去與他見陣，也低了名頭。等我捨了這老性命去與他戰上三合！三合戰得過，唐僧還是我們口裏食，戰不過，那時關了門，讓他過去罷。」遂取披挂結束了，開門前走。

行者與八戒在門旁觀看，真是好一個怪物：

鐵額銅頭戴寶盔，盔纓飄舞甚光輝。輝輝掣電雙睛亮，亮亮鋪霞兩鬢飛。勾爪如銀尖且利，鋸牙似鑿密還齊。身披金甲無絲縫，腰束龍縧有見機。手執鋼刀明晃晃，英雄威武世間稀。一聲吆喝如雷震，問道『敲門者是誰？』

大聖轉身道：「是你孫老爺齊天大聖也。」老魔笑道：「你是孫行者？大膽潑猴！我不惹你，你却爲何在此叫戰？」行者道：「『有風方起浪，無潮水自平。』你不惹我，我好尋你？祇因你狐群狗黨，結爲一伙，算計吃我師父，所以來此施爲。」老魔道：「你這等雄糾糾的，嚷上我門，莫不是要打麽？」行者道：「正是。」老魔道：「你休猖獗！我若調出妖兵，擺開陣勢，摇旗擂鼓，與你交戰，顯得我是坐家虎，欺負你了。我祇與你一個對一個，不許幫丁！」行者聞言，叫：「猪八戒走過，看他把老孫怎的！」那呆子真個閃在一邊。老魔道：「你過來，先與我做個樁兒，讓我盡力氣着光頭砍上三刀，就讓你唐僧過去；假若禁不得，快送你唐僧來，與我做一頓下飯！」行者聞言笑道：「妖怪，你洞裏若有紙筆，取出來，與你立個合同。自今日起，就砍到明年，我也不與你當真！」

那老魔抖擻威風，丁字步站定，雙手舉刀，望大聖劈頂就砍。這大聖把頭往上一迎，祇聞扢扠一聲響，頭皮兒紅也不紅。那老魔大驚道：「這猴子好個硬頭兒！」大聖笑道：「你不知。老孫是：

生就銅頭鐵腦蓋，天地乾坤世上無。斧砍錘敲不得碎，幼年曾入老君爐。四斗星官監臨造，二十八宿用工夫。水浸幾番不得壞，周圍扢搭板筋鋪。唐僧還恐不堅固，預先又上紫金箍。」

老魔道：「猴兒不要説嘴！看我這二刀來！決不容你性命！」行者道：「不見怎的，左右也衹這般砍罷了。」老魔道：「猴兒，你不知這刀：

金火爐中造，神功百煉熬。鋒刃依三略，剛强按六韜。却似蒼蠅尾，猶如白蟒腰。入山雲蕩蕩，下海浪滔滔。琢磨無遍數，煎熬幾百遭。深山古洞放，上陣有功勞。攙着你這和尚天靈蓋，一削就是兩個瓢！」

大聖笑道：「這妖精没眼色！把老孫認做個瓢頭哩！也罷，誤砍誤讓，教你再砍一刀看怎麽。」

那老魔舉刀又砍，大聖把頭迎一迎，乒乓的劈做兩半個；大聖就地打個滚，變做兩個身子。那妖一見慌了，手按下鋼刀。猪八戒遠遠望見，笑道：「老魔好砍兩刀的！却不是四個人了？」老魔指定行者道：「聞你能使分身法，怎麽把這法兒拿出在我面前使！」大聖道：「何爲分身法？」老魔道：「爲甚麽先砍你一刀不動，如今砍你一刀，就是兩個人？」大聖笑道：「妖怪，你切莫害怕。砍上一萬刀，還你二萬個人！」老魔道：「你這猴兒，你衹會分身，不會收身。你若有本事收做一個，打我一棍去罷。」大聖道：「不許説謊。你要砍三刀，衹砍了我兩刀，教我打一棍，若打了棍半，就不姓孫！」老魔道：「正是，正是。」

好大聖，就把身摟上來，打個滚，依然一個身子，掣棒劈頭就打。那老魔舉刀架住道：「潑猴無禮！甚麽樣個哭喪棒，敢上門打人？」大聖喝道：「你若問我這條棍，天上地下，都有名聲。」老魔道：「怎見名聲？」他道：

「棒是九轉鑌鐵煉，老君親手爐中煅。禹王求得號「神珍」，四海八河爲定驗。中間星斗暗鋪陳，兩頭箝裹黄金片。花紋密佈鬼神驚，上造龍紋與鳳篆。名號「靈陽棒」一根，深藏海藏人難見。成形變化要飛騰，飄飖五色霞光現。老孫得道取歸山，無窮變化多經驗。時間要大瓮來粗，或小些微如鐵綫。粗如南嶽細如針，長短隨吾心意變。輕輕舉動彩雲生，亮亮飛騰如閃電。攸攸冷氣逼人寒，條條殺霧空中現。降龍伏虎謹隨身，天涯海角都遊遍。曾將此棍鬧天宫，威風打散蟠桃宴。天王賭鬥未曾贏，哪吒對敵難交戰。棍打諸神没躲藏，天兵十萬都逃竄。雷霆衆將護靈霄，飛身打上通明殿。掌朝天使盡皆忙，護駕仙卿俱攪亂。舉棒掀翻北斗宫，回首振開南極院。金闕天皇見棍兇，特請如來與我見。兵家勝負自如然，困苦災危無可辨。整整挨排五百年，虧了南海菩薩勸。大唐有個出家僧，對天發下洪誓願。枉死城中度鬼魂，靈山會上求經卷。西方一路有妖魔，行動甚是不方便。已知鐵棒世無雙，央我途中爲侶伴。邪魔湯着赴幽冥，肉化紅塵骨化面。處處妖精棒下亡，論萬成千無打算。上方擊壞鬥牛宫，下方壓損森羅殿。天將曾將九曜追，地府打傷催命判。半空丢下振山川，勝如太歲新華劍。全憑此棍保唐僧，天下妖魔都打遍！」

那魔聞言，戰兢兢捨着性命，舉刀就砍。猴王笑吟吟，使鐵棒前迎。他兩個先時在洞前撑持，然後跳起去，都在半空裏厮殺。這一場好殺：

天河定底神珍棒，棒名如意世間高。誇稱手段魔頭惱，大捍刀擎法力豪。門外争持還可近，空中賭鬥怎相饒！一個隨心更面目，一個立地長身腰。殺得滿天雲氣重，遍野霧飄飖。那一個幾番立意吃三藏，這一個廣施法力保唐朝。都因佛祖傳經典，邪正分明恨苦交。

那老魔與大聖鬥經二十餘合，不分輸贏。原來八戒在底下見他兩個戰到好處，忍不住掣鈀架風，跳將起去，望妖魔劈臉就築。那魔慌了，不知八戒是個嚀頭性子，冒冒失失的唬人，他衹道嘴長耳大，手硬鈀兇，敗了陣，丢了刀，回頭就走。大聖喝道：「趕上！趕上！」這呆子仗着威風，舉着釘鈀，即忙趕下怪去。

老魔見他趕的相近，在坡前立定，迎着風頭，幌一幌現了原身，張開大口，就要來吞八戒。八戒害怕，急抽身往草裏一鑽，也管不得荆針棘刺，也顧不得刮破頭疼，戰兢兢的，在草裏聽着梆聲。隨後行者趕到，那怪也張

口來吞，却中了他的機關，收了鐵棒，迎將上去，被老魔一口吞之。唬得個呆子在草裏囊囊咄咄的埋怨道：『這個弼馬温，不識進退！那怪來吃你，你如何不走，反去迎他！這一口吞在肚中，今日還是個和尚，明日就是個大恭也！』那魔得勝而去。這呆子才鑽出草來，溜回舊路。

却説三藏在那山坡下，正與沙僧盼望，衹見八戒喘呵呵的跑來。三藏大驚道：『八戒，你怎麽這等狼狽？悟空如何不見？』呆子哭哭啼啼道：『師兄被妖精一口吞下肚去了！』三藏聽言，唬倒在地。半晌間跌脚拳胸道：『徒弟呀！衹説你善會降妖，領我西天見佛，怎知今日死于此怪之手！苦哉，苦哉！我弟子同衆的功勞，如今都化作塵土矣！』

那師父十分苦痛。你看那呆子，他也不來勸解師父，却叫：『沙和尚，你拿將行李來，我兩個分了罷。』沙僧道：『二哥，分怎的？』八戒道：『分開了，各人散火：你往流沙河，還去吃人；我往高老莊，看看我渾家。將白馬賣了，與師父買個壽器送終。』長老氣呼呼的，聞得此言，叫皇天，放聲大哭。且不題。

却説那老魔吞了行者，以爲得計，徑回本洞。衆妖迎問出戰之功。老魔道：『拿了一個來了。』二魔喜道：『哥哥拿的是誰？』老魔道：『是孫行者。』二魔道：『拿在何處？』老魔道：『被我一口吞在腹中哩。』第三個魔頭大驚道：『大哥啊，我就不曾吩咐你。孫行者不中吃！』那大聖肚裏道：『忒中吃！又禁飢，再不得餓！』慌得那小妖道：『大王，不好了！孫行者在你肚裏説話哩！』老魔道：『怕他説話！有本事吃了他，没本事擺佈他不成？你們快去燒些鹽白湯，等我灌下肚去，把他噦出來，慢慢的煎了吃酒。』小妖真個沖了半盆鹽湯。老怪一飲而幹，窪着口，着實一嘔，那大聖在肚裏生了根，動也不動，却又攔着喉嚨，往外又吐，吐得頭暈眼花，黄膽都破了，行者越發不動。老魔喘息了，叫聲：『孫行者，你不出來？』行者道：『早哩！正好不出來哩！』老魔道：『你怎麽不出？』行者道：『你這妖精，甚不通變。我自做和尚，十分淡薄；如今秋凉，我還穿個單直裰。這肚裏倒暖，又不透風，等我住過冬才好出來。』

衆妖聽説，都道：『大王，孫行者要在你肚裏過冬哩！』老魔道：『他要過冬，我就打起禪來，使個搬運法，一冬不吃飯，就餓殺那弼馬温！』大聖道：『我兒子，你不知事！老孫保唐僧取經，從廣裏過，帶了個折迭鍋兒，進來煮雜碎吃。將你這裏邊的肝、腸、肚、肺，細細兒受用，還够盤纏到清明哩！』那二魔大驚道：『哥啊，這猴子他幹得出來！』三魔道：『哥啊，吃了雜碎也罷，不知在那裏支鍋。』行者道：『三叉骨上好支鍋。』三魔道：『不好了！假若支起鍋，燒動火烟，燎到鼻孔裏，打噴嚏麽？』行者笑道：『没事！等老孫把金箍棒往頂門裏一搠，搠個窟窿：一則當天窗，二來當煙洞。』

老魔聽説，雖説不怕，却也心驚。只得硬着膽叫：『兄弟們，莫怕，把我那藥酒拿來，等我吃幾盅下去，把猴兒藥殺了罷！』行者暗笑道：『老孫五百年前大鬧天宫時，吃老君丹，玉皇酒，王母桃，及鳳髓龍肝，那樣東西我不曾吃過？是甚麽藥酒，敢來藥我？』那小妖真個將藥酒篩了兩壺，滿滿斟了一盅，遞與老魔。老魔接在手中，大聖在肚裏就聞得酒香，道：『不要與他吃！』好大聖，把頭一扭，變做個喇叭口子，張在他喉嚨之下。那怪咽的咽下，被行者咽的接吃了。第二盅咽下，被行者咽的又接吃了。一連咽了七八盅，都是他接吃了。老魔放下盅道：『不吃了。這酒常時吃兩盅，腹中如火；却纔吃了七八盅，臉上紅也不紅！』原來這大聖吃不多酒，接了他七八盅吃了，在肚裏撒起酒風來，不住的支架子，跌四平，踢飛脚；抓住肝花打鞦韆，竪蜻蜓，翻根頭亂舞。那怪物疼痛難禁，倒在地下。

畢竟不知死活如何，且聽下回分解。

總批：

這獅子一肚皮猴舌。○在獅子肚裏殺酒風，也是奇事。○描畫猴處，都是匪夷所思。

第七十六回　心神居捨魔歸性　木母同降怪體真

話表孫大聖在老魔肚裏支吾一會，那魔頭倒在塵埃，無聲無氣，若不言語，想是死了，却又把手放放。魔頭回過氣來，叫一聲：『大慈大悲齊天大聖菩薩！』行者聽見道：『兒子，莫廢工夫，省幾個字兒，衹叫孫外公罷。』那妖魔惜命，真個叫：『外公！外公！是我的不是了！一差二誤吞了你，你如今却反害我。萬望大聖慈悲，可憐螻蟻貪生之意，饒了我命，願送你師父過山也。』

大聖雖英雄，甚爲唐僧進步。他見妖魔哀告，好奉承的人，也就回了善念，叫道：『妖怪，我饒你，你怎麼送我師父？』老魔道：『我這裏也没甚麼金銀、珠翠、瑪瑙、珊瑚、琉璃、琥珀、玳瑁珍奇之寶相送；我兄弟三個，抬一乘香藤轎兒，把你師父送過此山。』行者笑道：『既是抬轎相送，强如要寶。你張開口，我出來。』那魔頭真個就張開口。那三魔走近前，悄悄的對老魔道：『大哥，等他出來時，把口往下一咬，將猴兒嚼碎，咽下肚，却不得磨害你了。』

原來行者在裏面聽得，便不先出去。却把金箍棒伸出，試他一試。那怪果往下一口，挖喳的一聲，把個門牙都迸碎了。行者抽回棒道：『好妖怪！我倒饒你性命出來，你反咬我，要害我命！我不出來，活活的衹弄殺你！不出來！不出來！』老魔報怨三魔道：『兄弟，你是自家人弄自家人了。且是請他出來好了，你却教我咬他。他倒不曾咬着，却迸得我牙齦疼痛。這是怎麼起的！』

三魔見老魔怪他，他又作個激將法，厲聲高叫道：『孫行者，聞你名如轟雷貫耳，説你在南天門外施威，靈霄殿下逞勢；如今在西天路上降妖縛怪，原來是個小輩的猴頭！』行者道：『我何爲小輩？』三怪道：『好漢千里客，萬里去傳名。』你出來，我與你賭鬥，才是好漢；怎麼在人肚裏做勾當！非小輩而何？』行者聞言，心中暗想道：『是，是，是！我若如今扯斷他腸，揌破他肝，弄殺這怪，有何難哉？但真是壞了我的名頭。也罷！也罷！你張口，我出來與你比并。但只是你這洞口窄逼，不好使傢火，須往寬處去。』三魔聞説，即點大小怪，前前後後，

有三萬多精，都執着精鋭器械，出洞擺開一個三才陣勢，專等行者出口，一齊上陣。那二怪攙着老魔，徑至門外，叫道：『孫行者！好漢出來！此間有戰場，好鬥！』

大聖在他肚裏，聞得外面鴉鳴鵲噪，鶴唳風聲，知道是寬闊之處。却想着：『我不出去，是失信與他；若出去，這妖精人面獸心：先時説送我師父，哄我出來咬我，今又調兵在此。也罷！也罷！與他個兩全其美：出去便出去，還與他肚裏生下一個根兒。』即轉手，將尾上毫毛拔了一根，吹口仙氣，叫『變！』即變一條繩兒，衹有頭髮粗細，倒有四十丈長短。那繩兒理出去，見風就長粗了。把一頭拴着妖怪的心肝繫上，打做個活釦兒。那釦兒不扯不緊，扯緊就痛。却拿着一頭，笑道：『這一出去，他送我師父便罷；如若不送，亂動刀兵，我也没工夫與他打，衹消扯此繩兒，就如我在肚裏一般！』又將身子變得小小的，往外爬；爬到咽喉之下，見妖精大張着方口，上下鋼牙，排如利刃，忽思量道：『不好！不好！若從口裏出去扯這繩兒，他怕疼，往下一嚼，却不咬斷了？我打他没牙齒的所在出去。』好大聖，理着繩兒，從他那上腭子往前爬，爬到他鼻孔裏。那老魔鼻子發癢，『阿嚏』的一聲，打了個噴嚏，直迸出行者。

行者見了風，把腰躬一躬，就長了有三丈長短，一隻手扯着繩兒，一隻手拿着鐵棒。那魔頭不知好歹，見他出來了，就舉鋼刀，劈臉來砍。這大聖一隻手使鐵棒相迎。又見那二怪使槍，三怪使戟，没頭没臉的亂上。大聖放鬆了繩，收了鐵棒，急縱身駕雲走了。原來怕那伙小妖圍繞，不好幹事。他却跳出營外，去那空闊山頭上，落下雲，雙手把繩盡力一扯，老魔心裏才疼。他害疼，往上一掙，大聖復往下一扯。衆小妖遠遠看見，齊聲高叫道：『大王，莫惹他！讓他去罷！這猴兒不按時景：清明還未到，他却那裏放風箏也！』大聖聞言，着力氣蹬了一蹬，那老魔從空中，拍剌剌，似紡車兒一般，跌落塵埃。就把那山坡下死硬的黄土跌做個二尺淺深之坑。

慌得那二怪、三怪，一齊按下雲頭，上前拿住繩兒，跪在坡下，哀告道：『大聖啊，祇說你是個寬洪海量之仙，誰知是個鼠腹蝸腸之輩。實實的哄你出來，與你見陣，不期你在我家兄心上拴了一根繩子！』行者笑道：『你這伙潑魔，十分無禮！前番哄我出去便就咬我，這番哄我出來，却又擺陣敵我。似這幾萬妖兵，戰我一個，理上也不通。扯了去！扯了去見我師父！』那怪一齊叩頭道：『大聖慈悲，饒我性命，願送老師父過山！』行者笑道：『你要性命，祇消拿刀把繩子割斷罷了。』老魔道：『爺爺呀，割斷外邊的，這裏邊的拴在心上，喉嚨裏又㭗㭗的惡心，怎生是好？』行者道：『既如此，張開口，等我再進去解出繩來。』老魔慌了道：『這一進去，又不肯出來，却難也！却難也！』行者道：『我有本事外邊就可以解得裏面繩頭也。解了可實實的送我師父麽？』老魔道：『但解就送，決不敢打誑語。』大聖審得是實，即便將身一抖，收了毫毛，那怪的心就不疼了。這是孫大聖掩樣的法兒，使毫毛拴着他的心；收了毫毛，所以就不害疼也。三個妖縱身而起，謝道：『大聖請回，上復唐僧，收拾下行李，我們就抬轎來送。』衆怪偃乾戈，盡皆歸洞。

大聖收繩子，徑轉山東，遠遠的看見唐僧睡在地下打滾痛哭；猪八戒與沙僧解了包袱，將行李搭分兒，在那裏分哩。行者暗暗嗟嘆道：『不消講了。這定是八戒對師父說我被妖精吃了，師父捨不得我，痛哭，那呆子却分東西散火哩。咦！不知可是此意，且等我叫他一聲看。』

落下雲頭，叫道：『師父！』沙僧聽見，報怨八戒道：『你是個「棺材座子，專一害人」！師兄不曾死，你却説他死了，在這裏幹這個勾當！那裏不叫將來了？』八戒道：『我分明看見他被妖精一口吞了。想是日辰不好，那猴子來顯魂哩。』行者到跟前，一把撾住八戒臉，一個巴掌打了個踉蹌，道：『夯貨！我顯甚麽魂！』呆子侮着臉道：『哥哥，你實是那怪吃了，你——你怎麽又活了？』行者道：『像你這個不濟事的膿包！他吃了我，我就抓他腸，捏他肺，又把這條繩兒穿住他的心，扯他疼痛難禁，一個個叩頭哀告，我纔饒了他性命。如今抬轎來送我師父過山也。』那三藏聞言，一骨魯爬起來，對行者躬身道：『徒弟啊，累殺你了！若信悟能之言，我已絶矣！』行者輪拳打着八戒罵道：『這個䉶糠的呆子，十分懈怠，甚不成人！師父，你切莫惱。那怪就來送你也。』沙僧也甚生慚愧。連忙遮掩，收拾行李，扣背馬匹，都在途中等候不題。

却説三個魔頭，帥群精回洞。二怪道：『哥哥，我祇道是個九頭八尾的孫行者，原來是恁的個小小猴兒！你不該吞他：祇與他鬥時，他那裏鬥得過你我！洞裏這幾萬妖精，吐唾沫也可淹殺他。你却將他吞在肚裏，他便弄起法來，教你受苦，怎麽敢與他比較！才自説送唐僧，都是假意，實爲兄長性命要緊，所以哄他出來。決不送他！』老魔道：『賢弟不送之故，何也？』二怪道：『你與我三千小妖，擺開陣勢，我有本事拿住這個猴頭！』老魔道：『莫説三千，憑你起老營去，只是拿住他，便大家有功。』

那二魔即點三千小妖，徑到大路旁擺開，着一個藍旗手往來傳報，教：『孫行者！趕早出來，與我二大王爺爺交戰！』八戒聽見，笑道：『哥啊，常言道：「説謊不瞞當鄉人」。就來弄虚頭，搗鬼！怎麽説降了妖精，就抬轎來送師父，却又來叫戰，何也？』行者道：『老怪已被我降了，不敢出頭，聞着個「孫」字兒，也害頭疼。這定是二妖魔不伏氣送我們，故此叫戰。我道兄弟，這妖精有弟兄三個，這般義氣；我弟兄也是三個，就没些義氣。我已降了大魔，二魔出來，你就與他戰戰，未爲不可。』八戒道：『怕他怎的！等我去打他一仗來！』行者道：『要去便去罷。』八戒笑道：『哥啊，去便去，你把那繩兒借與我使使。』行者道：『你要怎的？你又没本事鑽在肚裏，你又没本事拴在他心上，要他何用？』八戒道：『我要釦在這腰間，做個救命索。你與沙僧扯住後手，放我出去，與他交戰。估着贏了他，你便放鬆，我把他拿住；若是輸與他，你把我扯回來，莫教他拉了去。』真個行者暗笑道：『也是捉弄呆子一番！』就把繩兒釦在他腰裏，撮弄他出戰。

那呆子舉釘鈀跑上山崖，叫道：『妖精！出來！與你猪祖宗打來！』那藍旗手急報道：『大王，有一個長嘴

大耳朵的和尚來了。』二怪即出營，見了八戒，更不打話，挺槍劈面刺來。這呆子舉鈀上前迎住。他兩個在山坡前搭上手，鬥不上七八回合，呆子手軟，架不得妖魔，急回頭叫：『師兄，不好了！扯扯救命索，扯扯救命索！』這壁廂大聖聞言，轉把繩子放鬆了，抛將去。那呆子敗了陣，往後就跑。原來那繩子拖着走，還不覺；轉回來，因鬆了，倒有些絆脚，自家絆倒了一跌，爬起來又一跌。始初還跌個躘踵，後面就跌了個嘴搶地。被妖精趕上，捽開鼻子，就如蛟龍一般，把八戒一鼻子捲住，得勝回洞。衆妖凱歌齊唱，一擁而歸。

這坡下三藏看見，又惱行者道：『悟空，怪不得悟能咒你死哩！原來你兄弟全無相親相愛之意，專懷相嫉妒之心！他那般說，教你扯扯救命索，你怎麼不扯，還將索子丢去？如今教他被害，却如之何？』行者笑道：『師父也忒護短，忒偏心！罷了，像老孫拿去時，你略不挂念，左右是捨命之材；這呆子才自遭擒，你就怪我。也教他受些苦惱，方見取經之難。』三藏道：『徒弟啊，你去，我豈不挂念？想着你會變化，斷然不至傷身。那呆子生得狼犺，又不會騰那，這一去，少吉多兇。你還去救他一救。』行者道：『師父不得報怨，等我去救他一救。』急縱身，趕上山，暗中恨道：『這呆子咒我死，且莫與他個快活！且跟去看那妖精怎麼擺佈他，等他受些罪，再去救他。』即捻訣念起真言，摇身一變，即變做個蟭蟟蟲，飛將去，釘在八戒耳朵根上，同那妖精到了洞裏。

二魔帥三千小怪，大吹大打的，至洞口屯下。自將八戒拿入裏面道：『哥哥，我拿了一個來也。』老怪道：『拿來我看。』他把鼻子放鬆，捽下八戒道：『這不是？』老怪道：『這廝没用。』八戒聞言道：『大王，没用的放出去，尋那有用的捉來罷。』三怪道：『雖是没用，也是唐僧的徒弟猪八戒。且捆了，送在後邊池塘裏浸着。待浸退了毛，破開肚子，使鹽醃了曬乾，等天陰下酒。』八戒大驚道：『罷了，罷了！撞見那販醃的妖怪也！』衆怪一齊下手，把呆子四馬攢蹄捆住，扛扛抬抬，送至池塘邊，往中間一推，盡皆轉去。

大聖却飛起來看處，那呆子四肢朝上，掘着嘴，半浮半沉，嘴裏呼呼的，着然好笑，倒像八九月經霜落了子兒的一個大黑蓮蓬。大聖見他那嘴臉，又恨他，又憐他，説道：『怎的好麼？他也是龍華會上的一個人。但祇恨他動不動分行李散火，又要攛掇師父念《緊箍咒》咒我。我前日曾聞得沙僧説，他攢了些私房，不知可有否。等我且嚇他一嚇看。』

好大聖，飛近他耳邊，假捏聲音，叫聲：『猪悟能！猪悟能！』八戒慌了道：『晦氣呀！我這悟能是觀世音菩薩起的，自跟了唐僧，又呼做八戒，此間怎麼有人知道我叫做悟能？』呆子忍不住問道：『是那個叫我的法名？』行者道：『是我。』呆子道：『你是那個？』行者道：『我是勾司人。』那呆子慌了道：『長官，你是那裏來的？』行者道：『我是五閻王差來勾你的。』呆子道：『長官，你且回去，上復五閻王，他與我師兄孫悟空交得甚好，教他讓我一日兒，明日來勾罷。』行者道：『胡説！「閻王注定三更死，誰敢留人到四更！」趁早跟我去，免得套上繩子扯拉！』呆子道：『長官，那裏不是方便，看我這般嘴臉，還想活哩。死是一定死，祇等一日，這妖精連我師父們都拿來，會一會，就都了帳也。』行者暗笑道：『也罷，我這批上有三十個人，都在這中前後，等我拘將來就你，便有一日躭擱。你可有盤纏，把些兒我去。』八戒道：『可憐啊！出家人那裏有甚麼盤纏？』行者道：『若無盤纏，索了去！跟着我走！』

呆子慌了道：『長官不要索。我曉得你這繩兒叫做「追命繩」，索上就要斷氣。有！有！有！有便有些兒，只是不多。』行者道：『在那裏？快拿出來！』八戒道：『可憐，可憐！我自做了和尚，到如今，有些善信的人家齋僧，見我食腸大，襯錢比他們略多些兒，我拿了攢在這裏，零零碎碎有五錢銀子；因不好收拾，前者到城中，央了個銀匠煎在一處，他又没天理，偷了我幾分，只得四錢六分一塊兒。你拿了去罷。』行者暗笑道：『這呆子褲子也没得穿，却藏在何處？咄！你銀子在那裏？』八戒道：『在我左耳朵眼兒裏揌着哩。我捆了拿不得，你自家拿了去罷。』

行者聞言，即伸手在耳朵竅中摸出，真個是塊馬鞍兒銀子，足有四錢五六分重，拿在手裏，忍不住哈哈的一

聲大笑。那呆子認是行者聲音，在水裏亂罵道：「天殺的弼馬温！到這們苦處，還來打詐財物哩！」行者又笑道：「我把你這饢糟的！老孫保師父，不知受了多少苦難，你到攢下私房！」八戒道：「嘴臉！這是甚麽私房！都是牙齒上刮下來的，我不捨得買了嘴吃，留了買匹布兒做件衣服，你却嚇了我的。還分些兒與我。」行者道：「半分也没得與你！」八戒駡道：「買命錢讓與你罷，好道也救我出去是。」行者道：「莫發急，等我救你。」將銀子藏了，即現原身，掣鐵棒，把呆子劃攏，用手提着脚，扯上來，解了繩。八戒跳起來，脱下衣裳，整乾了水，抖一抖，潮漉漉的披在身上，道：「哥哥，開後門走了罷。」行者道：「後門裏走，可是個長進的？還打前門上去。」八戒道：「我的脚捆麻了，跑不動。」行者道：「快跟我來。」

好大聖，把鐵棒一路丢開解數，打將出去。那呆子忍着麻，只得跟定他。祇看見二門下靠着的是他的釘鈀，走上前，推開小妖，撈過來往前亂築，與行者打出三四層門，不知打殺了多少小妖。

那老魔聽見，對二魔道：「拿得好人！拿得好人！你看孫行者劫了猪八戒，門上打傷小妖也！」那二魔急縱身，綽槍在手，趕出門來，應聲駡道：「潑猢猻！這般無禮！怎敢渺視我等！」大聖聽得，即應聲站下。那怪物不容講，使槍便刺。行者正是會家不忙，掣鐵棒，劈面相迎。他兩個在洞門外，這一場好殺：

黄牙老象變人形，義結獅王爲弟兄。因爲大魔來説合，同心計算吃唐僧。齊天大聖神通廣，輔正除邪要滅精。八戒無能遭毒手，悟空拯救出門行。妖王趕上施英猛，槍棒交加各顯能。那一個槍來好似穿林蟒，這一個棒起猶如出海龍。龍出海門雲靄靄，蟒穿林樹霧騰騰。算來都爲唐和尚，恨苦相持太没情。

那八戒見大聖與妖精交戰，他在山嘴上竪着釘鈀，不來幫打，祇管呆呆的看着。那妖精見行者棒重，滿身解數，全無破綻，就把槍架住，捽開鼻子，要來捲他。行者知道他的勾當，雙手把金箍棒横起來，往上一舉，被妖精一鼻子捲住腰胯，不曾捲手。你看他兩隻手在妖精鼻頭上丢花棒兒耍子。

八戒見了，捶胸道：「咦！那妖怪晦氣呀！捲我這夯的，連手都捲住了，不能得動；捲那們滑的，倒不捲手。他那兩隻手拿着棒，祇消往鼻裏一搠，那孔子裏害疼流涕，怎能捲得他住？」行者原無此意，倒是八戒教了他。他就把棒幌一幌，小如鷄子，長有丈餘，真個往他鼻孔裏一搠。那妖精害怕，沙的一聲，把鼻子捽放，被行者轉手過來，一把撾住，用氣力往前一拉，那妖精護疼，隨着手，舉步跟來。八戒方纔敢近，拿釘鈀望妖精胯子上亂築。行者道：「不好！不好！那鈀齒兒尖，恐築破皮，淌出血來，師父看見，又説我們傷生，祇調柄子來打罷。」

真個呆子舉鈀柄，走一步，打一下，行者牽着鼻子，就似兩個象奴，牽至坡下。祇見三藏凝睛盼望，見他兩個嚷嚷鬧鬧而來，即喚：「悟凈，你看悟空牽的是甚麽？」沙僧見了，笑道：「師父，大師兄把妖精揪着鼻子拉來，真愛殺人也！」三藏道：「善哉！善哉！那般大個妖精！那般長個鼻子！你且問他：他若喜喜歡歡送我等過山呵，饒了他，莫傷他性命。」

沙僧急縱前迎着，高聲叫道：「師父説：那怪果送師父過山，教不要傷他命哩。」那怪聞説，連忙跪下，口裏嗚嗚的答應。原來被行者揪着鼻子，捏儹了，就如重傷風一般。叫道：「唐老爺，若肯饒命，即便抬轎相送。」行者道：「我師徒俱是善勝之人，依你言，且饒你命。快抬轎來。如再變卦，拿住决不再饒！」那怪得脱手，磕頭而去。行者同八戒見唐僧，備言前事。八戒慚愧不勝，在坡前晾曬衣服，等候不題。

那二魔戰戰兢兢回洞，未到時，已有小妖報知老魔、三魔，説二魔被行者揪着鼻子拉去。老魔悚懼，與三魔帥衆方出，見二魔獨回，又皆接入，問及放回之故。二魔把三藏慈憫善勝之言，對衆説了一遍。一個個面面相覷，更不敢言。

二魔道：「哥哥可送唐僧麽？」老魔道：「兄弟，你説那裏話！孫行者是個廣施仁義的猴頭，他先在我肚裏，若肯害我性命，一千個也被他弄殺了。却纔揪住你鼻子，若是扯了去不放回，祇捏破你的鼻子頭兒，却也惶恐。

快早安排送他去罷。』三魔笑道：『送！送！送！』老魔道：『賢弟這話，却又像尚氣的了。你不送，我兩個送去罷。』

三魔又笑道：『二位兄長在上：那和尚倘不要我們送，衹這等瞞過去，還是他的造化；若要送，不知正中了我的「調虎離山」之計哩。』老怪道：『何爲「調虎離山」？』三怪道：『如今把滿洞群妖，點將起來，萬中選千，千中選百，百中選十六個，又選三十個。』老怪道：『怎麽既要十六，又要三十？』三怪道：『要三十個會烹煮的，與他些精米、細麵、竹笋、茶芽、香蕈、蘑菇、豆腐、麵筋，着他二十里，或三十里，搭下窩鋪，安排茶飯，管待唐僧。』老怪道：『又要十六個何用？』三怪道：『着八個抬，八個喝路。我弟兄相隨左右，送他一程。此去向西四百餘裏，就是我的城池。我那裏自有接應的人馬。若至城邊，如此如此，着他師徒首尾不能相顧。要捉唐僧，全在此十六個鬼成功。』老怪聞言，歡欣不已。真是如醉方醒，似夢方覺。道：『好！好！好！』即點衆妖，先選三十，與他物件，又選十六，抬一頂香藤轎子。同出門來，又吩咐衆妖：『俱不許上山閑走。孫行者是個多心的猴子，若見汝等往來，他必生疑，識破此計。』

老怪遂帥衆至大路旁高叫道：『唐老爺，今日不犯紅沙，請老爺早早過山。』三藏聞言道：『悟空，是甚人叫我？』行者指定道：『那厢是老孫降伏的妖精抬轎來送你哩。』三藏合掌朝天道：『善哉！善哉！若不是賢徒如此之能，我怎生得去！』徑直向前，對衆妖作禮道：『多承列位之愛，我弟子取經東回，向長安當傳揚善果也。』衆妖叩首道：『請老爺上轎。』那三藏肉眼凡胎，不知是計；孫大聖又是太乙金仙，忠正之性，衹以爲擒縱之功，降了妖怪，亦豈期他都有异謀，却也不曾詳察，盡着師父之意。即命八戒將行囊捎在馬上，與沙僧緊隨。他使鐵棒向前開路，顧盼吉兇。八個抬起轎子，八個一遞一聲喝道。三個妖扶着轎扛。師父喜喜歡歡的端坐轎上。上了高山，依大路而行。

此一去，豈知歡喜之間愁又至。經云：『泰極否還生。』時運相逢真太歲，又值喪門吊客星。那伙妖魔，同心合意的，侍衛左右，早晚殷勤。行經三十里獻齋，五十里又齋，未晚請歇，沿路齊齊整整。一日三餐，遂心滿意；良宵一宿，好處安身。

西進有四百里餘程，忽見城池相近。大聖舉鐵棒，離轎僅有一里之遥，見城池，把他嚇了一跌，掙挫不起。你道他衹這般大膽，如何見此着唬？原來望見那城中有許多惡氣。乃是：

攢攢簇簇妖魔怪，四門都是狼精靈。斑斕老虎爲都管，白面雄彪作總兵。丫叉角鹿傳文引，伶俐狐狸當道行。千尺大蟒圍城走，萬丈長蛇佔路程。樓下蒼狼呼令使，臺前花豹作人聲。摇旗擂鼓皆妖怪，巡更坐鋪盡山精。狡兔開門弄買賣，野猪挑擔幹營生。先年原是天朝國，如今翻作虎狼城。

那大聖正當悚懼，衹聽得耳後風響，急回頭觀看，原來是三魔雙手舉一柄畫桿方天戟，往大聖頭上打來。大聖急翻身爬起，使金箍棒劈面相迎。他兩個各懷惱怒，氣呼呼，更不打話，咬着牙，各要相爭。又見那老魔頭，傳聲號令，舉鋼刀便砍八戒。八戒慌得丢了馬，輪着鈀，向前亂築。那二魔纏長槍，望沙僧刺來。沙僧使降妖杖支開架子敵住。三個魔頭與三個和尚，一個敵一個，在那山頭捨死忘生苦戰。那十六個小妖却遵號令，各各效能：搶了白馬、行囊，把三藏一擁，抬着轎子，徑至城邊，高叫道：『大王爺爺定計，已拿得唐僧來了！』那城上大小妖精，一個個跑下，將城門大開，吩咐各營捲旗息鼓，不許吶喊篩鑼，說：『大王原有令在前，不許嚇了唐僧；唐僧禁不得恐嚇，一嚇就肉酸不中吃了。』衆妖都歡天喜地邀三藏，控背躬身接主僧。把唐僧一轎子抬上金鑾殿，請他坐在當中，一壁廂獻茶，獻飯，左右旋繞。那長老昏昏沉沉，舉眼無親。

畢竟不知性命何如，且聽下回分解。

總批：

妖魔反覆處，極似世上人情。世上人情反覆，乃真妖魔也。作《西遊記》者，不過借妖魔來畫個影子耳。讀者亦知此否？

第七十七回　群魔欺本性　一體拜真如

且不言唐長老困苦。却説那三個魔頭，齊心竭力，與大聖兄弟三人，在城東半山内，努力争持。這一場，正是那『鐵刷帚刷銅鍋，家家挺硬。』好殺：

六般體相六般兵，六樣形骸六樣情。六惡六根緣六欲，六生六道賭輸贏。三十六宫春自在，六六形色恨有名。這一個金箍棒，千般解數；那一個方天戟，百樣峥嶸。八戒釘鈀兇更猛，二怪長槍俊又能。小沙僧寶杖非凡，有心打死；老魔頭鋼刀快利，舉手無情。這三個是護衛真僧無敵將，那三個是亂法欺君潑野精。起初猶可，向後彌兇。六枚都使昇空法，雲端裏面各翻騰。一時間吐霧噴雲天地暗，哮哮吼吼衹聞聲。

他六個鬥罷多時，漸漸天晚。却又是風霧漫漫，霎時間，就黑暗了。

原來八戒耳大，蓋着眼皮，越發昏蒙；手脚慢，又遮架不住，拖着鈀，敗陣就走，被老魔舉刀砍去，幾乎傷命；幸躲過頭腦，被口刀削斷幾根鬃毛，趕上張開口咬着領頭，拿入城中，丢與小怪，捆在金鑾殿。老妖又駕雲，起在半空助力。沙和尚見事不諧，虚幌着寶杖，顧本身回頭便走，被二怪捽開鼻子，響一聲，連手捲住，拿到城裏，也叫小妖捆在殿下。却又騰空去叫拿行者。行者見兩個兄弟遭擒，他自家獨力難撑，正是『好手不敵雙拳，雙拳難敵四手。』他喊一聲，把棍子隔開三個妖魔的兵器，縱筋斗駕雲走了。

三怪見行者駕筋斗時，即抖抖身，現了本像，搧開兩翅，趕上大聖。你道他怎能趕上？當時如行者鬧天宫，十萬天兵也拿他不住者，以他會駕筋斗雲，一去有十萬八千里路，所以諸神不能趕上。這妖精搧一翅就有九萬里，兩搧就趕過了，所以被他一把撾住，拿在手中，左右挣挫不得。欲思要走，莫能逃脱。即使變化法遁法，又往來難行：變大些兒，他就放鬆了撾住；變小些兒，他又攥緊了撾住。復拿了徑回城内，放了手，捽下塵埃。吩咐群妖，也照八戒、沙僧捆在一處。那老魔、二魔俱下來迎接。三個魔頭，同上寶殿。噫！這一番倒不是捆住行者，分明是與他送行。

此時有二更時候，衆怪一齊相見畢，把唐僧推下殿來。那長老于燈光前，忽見三個徒弟都捆在地下，老師父伏于行者身邊，哭道：『徒弟啊！常時逢難，你却在外運用神通，到那裏取救降魔；今番你亦遭擒，我貧僧怎麽得命！』八戒、沙僧聽見師父這般苦楚，便也一齊放聲痛哭。行者微微笑道：『師父放心，兄弟莫哭；憑他怎的，决然無傷。等那老魔安静了，我們走路。』八戒道：『哥啊，又來搗鬼了！麻繩捆住，鬆些兒還着水噴，想你這瘦人兒不覺，我這胖的遭瘟哩！不信，你看兩膊上。入肉已有二寸，如何脱身？』行者笑道：『莫説是麻繩捆的，就是碗粗的棕纜，衹也當秋風過耳，何足罕哉！』

師徒們正説處，衹聞得那老魔道：『三賢弟有力量，有智謀，果成妙計，拿將唐僧來了！』叫：『小的們，着五個打水，七個刷鍋，十個燒火，二十個抬出鐵籠來，把那四個和尚蒸熟，我兄弟們受用，各散一塊兒與小的們吃，也教他個個長生。』八戒聽見，戰兢兢的道：『哥哥，你聽。那妖精計較要蒸我們吃哩！』行者道：『不要怕，等我看他是雛兒妖精，是把勢妖精。』沙和尚哭道：『哥呀！且不要説寬話，如今已與閻王隔壁哩，且講甚麽「雛兒」、「把勢」！』説不了，又聽得二怪説：『猪八戒不好蒸。』八戒歡喜道：『阿彌陀佛，是那個積陰騭的，説我不好蒸？』三怪道：『不好蒸，剥了皮蒸。』八戒慌了，厲聲喊道：『不要剥皮！粗自粗，湯響就爛了！』老怪道：『不好蒸的，安在底下一格。』行者笑道：『八戒莫怕，是「雛兒」，不是「把勢」。』沙僧道：『怎麽認得？』行者道：『大凡蒸東西，都從上邊起。不好蒸的，安在上頭一格，多燒把火，圓了氣，就好了；若安在底下，一住了氣，就燒半年也是不得氣上的。他説八戒不好蒸，安在底下，不是雛兒是甚的！』八戒道：『哥啊，依你説，就活活的弄殺人了！他打緊見不上氣，抬開了，把我翻轉過來，再燒起火，弄得我兩邊俱熟，中間不夾生了？』

正講時，衹見小妖來報：『湯滾了。』老怪傳令叫抬。衆妖一齊上手，將八戒抬在底下一格，沙僧抬在二格。

行者估着來抬他，他就脫身道：『此燈光前好做手脚！』拔下一根毫毛，吹口仙氣，叫聲『變！』即變做一個行者，捆了麻繩；將真身出神，跳在半空裏，低頭看着。那群妖那知真假，見人就抬。把個『假行者』抬在上三格；才將唐僧揪翻倒捆住，抬上第四格。乾柴架起，烈火氣焰騰騰。大聖在雲端裏嗟嘆道：『我那八戒、沙僧，還挨得兩滾；我那師父，衹消一滾就爛。若不用法救他，頃刻喪矣！』

好行者，在空中捻着訣，念一聲『唵嚂凈法界，乾元亨利貞』的咒語，拘唤得北海龍王早至。衹見那雲端裏一朵烏雲，應聲高叫道：『北海小龍敖順叩頭。』行者道：『請起！請起！無事不敢相煩，今與唐師父到此，被毒魔拿住，上鐵籠蒸哩。你去與我護持護持，莫教蒸壞了。』龍王隨即將身變作一陣冷風，吹入鍋下，盤旋圍護，更没火氣燒鍋，他三人方不損命。

將有三更盡時，衹聞得老魔發放道：『手下的，我等用計勞形，拿了唐僧四衆；又因相送辛苦，四晝夜未曾得睡。今已捆在籠裏，料應難脫，汝等用心看守，着十個小妖輪流燒火，讓我們退宫，略略安寢。到五更天色將明，必然爛了，可安排下蒜泥鹽醋，請我們起來，空心受用。』衆妖各各遵命。三個魔頭，却各轉寢宫而去。

行者在雲端裏，明明聽着這等吩付，却低下雲頭，不聽見籠裏人聲。他想着：『火氣上騰，必然也熱，他們怎麼不怕，又無言語哼唧！莫敢是蒸死了？等我近前再聽。』

好大聖，踏着雲，摇身一變，變作一個黑蒼蠅兒，釘在鐵籠格外聽時，衹聞得八戒在裏面道：『晦氣，晦氣！不知是悶氣蒸，又不知是出氣蒸哩。』沙僧道：『二哥，怎麼叫做「悶氣」、「出氣」？』八戒道：『「悶氣蒸」是蓋了籠頭，「出氣蒸」不蓋。』三藏在浮上一層應聲道：『徒弟，不曾蓋。』八戒道：『造化！今夜還不得死！這是出氣蒸了！』行者聽得他三人都説話，未曾傷命，便就飛了去，把個鐵籠蓋，輕輕兒蓋上。三藏慌了道：『徒弟！蓋上了！』八戒道：『罷了！這個是悶氣蒸，今夜必是死了！』沙僧與長老嚶嚶的啼哭。八戒道：『且不要哭，

這一會燒火的換了班了。』沙僧道：『你怎麼知道？』八戒道：『早先抬上來時，正合我意：我有些兒寒濕氣的病，要他騰騰。這會子反冷氣上來了。咦！燒火的長官，添上些柴便怎的？要了你的哩！』

行者聽見，忍不住暗笑道：『這個夯貨！冷還好捱，若熱就要傷命。再説兩遭，一定走了風了，快早救他。且住！要救他鬚是要現本相。假如現了，這十個燒火的看見，一齊亂喊，驚動老怪，却不又費事？等我先送他個法兒。』忽想起：『我當初做大聖時，曾在北天門與護國天王猜枚耍子，贏得他瞌睡蟲兒，還有幾個，送了他罷。』即往腰間順帶裏摸摸，還有十二個。『送他十個，還留兩個做種。』即將蟲兒抛了去，散在十個小妖臉上，鑽入鼻孔，漸漸打盹，都睡倒了。衹有一個拿火叉的，睡不穩，揉頭搓臉，把鼻子左捏右捏，不住的打噴嚏。行者道：『這廝曉得勾當了，我再與他個「雙掭燈」。』又將一個蟲兒抛在他臉上。『兩個蟲兒，左進右出，右出左進，諒有一個安住。』那小妖兩三個大呵欠，把腰伸一伸，丢了火叉，也撲的睡倒，再不翻身。

行者道：『這法兒真是妙而且靈！』即現原身，走近前，叫聲『師父。』唐僧聽見道：『悟空，救我啊！』沙僧道：『哥哥，你在外面叫哩？』行者道：『我不在外面，好和你們在裏邊受罪？』八戒道：『哥啊，溜撒的溜了，我們都是頂缸的，在此受悶氣哩！』行者笑道：『呆子莫嚷，我來救你。』八戒道：『哥啊，救便要脫根救，莫又要復籠蒸。』行者却揭開籠頭，解了師父，將假變的毫毛，抖了一抖，收上身來；又一層層放了沙僧，放了八戒。那呆子才解了，巴不得就要跑。行者道：『莫忙！莫忙！』却又念聲咒語，發放了龍神，才對八戒道：『我們這去到西天，還有高山峻嶺。師父没脚力難行，等我還將馬來。』

你看他輕手輕脚，走到金鑾殿下，見那些大小群妖俱睡熟了。却解了繮繩，更不驚動。那馬原是龍馬，若是生人，飛踢兩脚，便嘶幾聲。行者曾養過馬，授弼馬温之官，又是自家一伙，所以不跳不叫。悄悄的牽來，束緊了肚帶，扣備停當，請師父上馬。長老戰兢兢的騎上，也就要走。行者道：『也且莫忙。我們西去還有國王，鬚

要關文，方纔去得；不然，將甚執照？等我還去尋行李來。』唐僧道：『我記得進門時，衆怪將行李放在金殿左手下，擔兒也在那一邊。』行者道：『我曉得了。』即抽身跳在寶殿尋時，忽見光彩飄飄。行者知是行李，怎麼就知？以唐僧的錦襴袈裟上有夜明珠，故此放光。——急到前，見擔兒原封未動，連忙拿下去，付與沙僧挑着。

八戒牽着馬，他引了路，徑奔正陽門。衹聽得梆鈴亂響，門上有鎖，鎖上貼了封皮。行者道：『這等防守，如何去得？』八戒道：『後門裏去罷。』行者引路，徑奔後門。『後宰門外，也有梆鈴之聲，門上也有封鎖，却怎生是好？我這一番，若不爲唐僧是個凡體，我三人不管怎的，也駕雲弄風走了。衹爲唐僧未超三界外，見在五行中，一身都是父母濁骨，所以不得陞駕，難逃。』八戒道：『哥哥，不消商量，我們到那没梆鈴，不防衛處，攙着師父爬過墻去罷。』行者笑道：『這個不好：此時無奈，撮他過去；到取經回來，你這呆子口敞，延地裏就對人説，我們是爬墻頭的和尚了。』八戒道：『此時也顧不得行檢，且逃命去罷。』行者也没奈何，只得依地。到那净墻邊，算計爬出。

噫！有這般事！也是三藏灾星未脱。那三個魔頭，在宮中正睡，忽然驚覺，説走了唐僧，一個個披衣忙起，急登寶殿。問曰：『唐僧蒸了幾滚了？』那些燒火的小妖已是有睡魔蟲，都睡着了，就是打也莫想打得一個醒來。其餘没執事的，驚醒幾個，冒冒失失的答應道：『七——七——七——七滚了！』急跑近鍋邊，衹見籠格子亂丢在地下，燒火的還都睡着，慌得又來報道：『大王，走——走——走——走了！』三個魔頭都下殿，近鍋前仔細看時，果見那籠格子亂丢在地下，湯鍋盡冷，火脚俱無。那燒火的俱呼呼鼾睡如泥。慌得衆怪一齊吶喊，都叫：『快拿唐僧！快拿唐僧！』

這一片喊聲振起，把些前前後後，大大小小妖精，都驚起來。刀槍簇擁，至正陽門下，見那封鎖不動，梆鈴不絶，問外邊巡夜的道：『唐僧從那裏走了？』俱道：『不曾走出人來。』急趕至後宰門，封鎖、梆鈴，一如前門；復亂搶搶的，燈籠火把，熯天通紅，就如白日，却明明的照見他四衆爬墻哩！老魔趕近，喝聲『那裏走！』那長老唬得脚軟筋麻，跌下墻來，被老魔拿住。二魔捉了沙僧，三魔擒倒八戒，衆妖搶了行李、白馬，只是走了行者。那八戒口裏嘓嘓噥噥的報怨行者道：『天殺的！我説要救便脱根救，如今却又復籠蒸了！』

衆魔把唐僧擒至殿上，却不蒸了。二怪吩咐把八戒綁在殿前檐柱上，三怪吩咐把沙僧綁在殿後檐柱上，惟老魔把唐僧抱住不放。三怪道：『大哥，你抱住他怎的？終不然就活吃？却也没些趣味。此物比不得那愚夫俗子，拿了可以當飯；此是上邦稀奇之物，必須待天陰閑暇之時，拿他出來，整制精潔，猜枚行令，細吹細打的吃方可。』老魔笑道：『賢弟之言雖當，但孫行者又要來偷哩。』三魔道：『我這皇宮裏面有一座錦香亭子，亭子内有一個鐵櫃。依着我，把唐僧藏在櫃裏，關了亭子，却傳出謠言，説唐僧已被我們夾生吃了。令小妖滿城講説；那行者必然來探聽消息，若聽見這話，他必死心塌地而去。待三五日不來攪擾，却拿出來，慢慢受用，如何？』老怪、二怪俱大喜道：『是，是，是！兄弟説得有理！』可憐把個唐僧連夜拿將進去，藏在櫃中，閉了亭子。傳出謠言，滿城裏都亂講不題。

却説行者自夜半顧不得唐僧，駕雲走脱。徑至獅駝洞裏，一路棍，把那萬數小妖，盡情剿絶。急回來，東方日出。到城邊，不敢叫戰，正是『單絲不綫，孤掌難鳴』。他落下雲頭，摇身一變，變作個小妖兒，演入門裏，大街小巷，緝訪消息。滿城裏俱道：『唐僧被大王夾生兒連夜吃了。』前前後後，都是這等説。行者着實心焦，行至金鑾殿前觀看，那裏邊有許多精靈，都戴着皮金帽子，穿着黄佈直身，手拿着紅漆棍，腰挂着象牙牌，一往一來，不住的亂走。行者暗想道：『此必是穿宮的妖精。就變做這個模樣，進去打聽打聽。』好大聖，果然變得一般無二，混入金門。正走處，衹見八戒綁在殿前柱上哼哩。行者近前，叫聲『悟能。』那呆子認得聲音，道：『師兄，你來了？救我一救！』行者道：『我救你。你可知師父在那裏？』八戒道：『師父没了。昨夜被妖精夾生兒吃了。』行者聞

言，忽失聲泪似泉涌。八戒道：「哥哥莫哭，我也是聽得小妖亂講，未曾眼見。你休誤了，再去尋問尋問。」這行者却纔收泪，又往裏面找尋。忽見沙僧綁在後檐柱上，即近前摸着他胸脯子叫道：「悟淨。」沙僧也識得聲音，道：「師兄，你變化進來了？救我！救我！」行者道：「救你容易。你可知師父在那裏？」沙僧滴泪道：「哥啊！師父被妖精等不得蒸，就夾生兒吃了！」

大聖聽得兩個言語相同，心如刀攪，泪似水流，急縱身望空跳起，且不救八戒、沙僧，回至城東山上，按落雲頭，放聲大哭。叫道：「師父啊！

恨我欺天困網羅，師來救我脱沉痾。潛心篤志同參佛，努力修身共煉魔。豈料今朝遭蜇害，不能保你上婆娑。西方勝境無緣到，氣散魂消怎奈何！」

行者淒淒慘慘的，自思自忖，以心問心道：「這都是我佛如來坐在那極樂之境，没得事幹，弄了那三藏之經！若果有心勸善，理當送上東土，却不是個萬古流傳？只是捨不得送去，却教我等來取。怎知道苦歷千山，今朝到此喪命！罷！罷！罷！老孫且駕個筋斗雲，去見如來，備言前事。若肯把經與我送上東土，一則傳揚善果，二則了我等心願；若不肯與我，教他把《鬆箍兒咒》念念，退下這個箍子，交還與他，老孫還歸本洞，稱王道寡，耍子兒去罷。」

好大聖，急翻身，駕起筋斗雲，徑投天竺。那裏消一個時辰，早望見靈山不遠。須臾間，按落雲頭，直至鷲峰之下。忽抬頭，見四大金剛擋住道：「那裏走？」行者施禮道：「有事要見如來。」當頭又有昆侖山金霞嶺不壞尊王永住金剛喝道：「這潑猴甚是粗狂！前者大困牛魔，我等爲汝努力，今日面見，全不爲禮！有事且待先奏，奉召方行。這裏比南天門不同，教你進去出來，兩邊亂走！咄！還不靠開！」那大聖正是煩惱處，又遭此搶白，氣得哮吼如雷，忍不住大呼小叫，早驚動如來。

如來佛祖正端坐在九品寶蓮臺上，與十八尊輪世的阿羅漢講經，即開口道：「孫悟空來了，汝等出去接待接待。」大衆阿羅，遵佛旨，兩路幢幡寶蓋，即出山門應聲道：「孫大聖，如來有旨相喚哩。」那山門口四大金剛却纔閃開路，讓行者前進。

衆阿羅引至寶蓮臺下，見如來倒身下拜，兩泪悲啼。如來道：「悟空，有何事這等悲啼？」行者道：「弟子屢蒙教訓之恩，託庇在佛爺爺之門下，自歸正果，保護唐僧，拜爲師範，一路上苦不可言！今至獅駝山獅駝洞獅駝城，有三個毒魔，乃獅王、象王、大鵬，把我師父捉將去，連弟子一概遭迍，都捆在蒸籠裏，受湯火之災。幸弟子脱逃，喚龍王救免。是夜偷出師等，不料灾星難脱，復又擒回。及至天明，入城打聽，叵耐那魔十分狠毒，萬樣驍勇：把師父連夜夾生吃了，如今骨肉無存。又况師弟悟能、悟淨，見綁在那廂，不久性命亦皆傾矣。弟子没及奈何，特地到此參拜如來。望大慈悲，將《鬆箍兒咒》念念，退下我這頭上箍兒，交還如來，放我弟子回花果山寬閑耍子去罷！」說未了，泪如泉涌，悲聲不絶。如來笑道：「悟空少得煩惱。那妖精神通廣大，你勝不得他，所以這等心痛。」行者跪在下面，捶着胸膛道：「不瞞如來說。弟子當年鬧天宫，稱大聖，自爲人以來，不曾吃虧，今番却遭這毒魔之手！」

如來聞言道：「你且休恨。那妖精我認得他。」行者猛然失聲道：「如來！我聽見人講說，那妖精與你有親哩。」如來道：「這個刁猢猻！怎麽個妖精與我有親？」行者笑道：「不與你有親，如何認得？」如來道：「我慧眼觀之，故此認得。那老怪與二怪有主。」叫：「阿儺、迦葉，來！你兩個分頭駕雲，去五臺山、峨眉山宣文殊、普賢來見。」二尊者即奉旨而去。

如來道：「這是老魔、二怪之主。但那三怪，說將起來，也是與我有些親處。」行者道：「親是父黨？母黨？」如來道：「自那混沌分時，天開于子，地闢于丑，人生于寅，天地再交合，萬物盡皆生。萬物有走獸飛禽。走

獸以麒麟爲之長，飛禽以鳳凰爲之長。那鳳凰又得交合之氣，育生孔雀、大鵬。孔雀出世之時，最惡，能吃人，四十五里路，把人一口吸之。我在雪山頂上，修成丈六金身，早被他也把我吸下肚去。我欲從他便門而出，恐污真身，是我剖開他脊背，跨上靈山。欲傷他命，當被諸佛勸解：傷孔雀如傷我母。故此留他在靈山會上，封他做佛母孔雀大明王菩薩。大鵬與他一母所生，故此有些親處。」行者聞言笑道：「如來，若這般比論，你還是妖精的外甥哩。」如來道：「那怪須是我去，方可收得。」行者叩頭，啓上如來：「千萬望挪玉一降！」

如來即下蓮臺，同諸佛衆，徑出山門。又見阿儺、迦葉，引文殊、普賢來見。二菩薩對佛禮拜。如來道：「菩薩之獸，下山多少時了？」文殊道：「七日了。」如來道：「山中方七日，世上幾千年。不知在那廂傷了多少生靈，快隨我收他去。」二菩薩相隨左右，同衆飛空。衹見那：

滿天縹緲瑞雲分，我佛慈悲降法門。明示開天生物理，細言辟地化身文。面前五百阿羅漢，腦後三千揭諦神。迦葉阿儺隨左右，普文菩薩殄妖氛。

大聖有此人情，請得佛祖與衆前來，不多時，早望見城池。行者報道：「如來，那放黑氣的乃是獅駝國也。」如來道：「你先下去，到那城中與妖精交戰，許敗不許勝。敗上來，我自收他。」

大聖即按雲頭，徑至城上，脚踏着垛兒罵道：「潑孽畜！快出來與老孫交戰！」慌得那城樓上小妖急跳下城中報道：「大王，孫行者在城上叫戰哩。」老妖道：「這猴兒兩三日不來，今朝却又叫戰，莫不是請了些救兵來耶？」三怪道：「怕他怎的！我們都去看來。」三個魔頭，各持兵器，趕上城來；見了行者，更不打話，舉兵器一齊亂刺。行者輪鐵棒掣手相迎。鬥經七八回合，行者佯輸而走。

那妖王喊聲大振，叫道：「那裏走！」大聖筋斗一縱，跳上半空，三個精即駕雲來趕。行者將身一閃，藏在佛爺爺金光影裏，全然不見。衹見那過去、未來、見在的三尊佛像與五百阿羅漢、三千揭諦神，佈散左右，把那

三個妖王圍住，水泄不通。老魔慌了手脚，叫道：「兄弟，不好了！那猴子真是個地裏鬼！那裏請得個主人公來也！」三魔道：「大哥休得悚懼。我們一齊上前，使槍刀搠倒如來，奪他那雷音寶刹！」這魔頭不識起倒，真個舉刀上前亂砍。却被文殊、普賢，念動真言，喝道：「這孽畜還不皈正，更待怎生！」唬得老怪、二怪，不敢撑持，丟了兵器，打個滚，現了本相。二菩薩將蓮花臺拋在那怪的脊背上，飛身跨坐，二怪遂泯耳皈依。

二菩薩既收了青獅、白象，衹有那第三個妖魔不伏。騰開翅，丟了方天戟，扶搖直上，輪利爪要刁捉猴王。原來大聖藏在光中，他怎敢近，如來情知此意，即閃金光，把那鵲巢貫頂之頭，迎風一幌，變做鮮紅的一塊血肉。妖精輪利爪刁他一下，被佛爺把手往上一指，那妖翅膊上就了筋，飛不去，衹在佛頂上不能遠遁，現了本相，乃是一個大鵬金翅雕。即開口對佛應聲叫道：「如來，你怎麼使大法力困住我也？」如來道：「你在此處多生孽障，跟我去，有進益之功。」妖精道：「你那裏持齋把素，極貧極苦；我這裏吃人肉，受用無窮；你若餓壞了我，你有罪愆。」如來道：「我管四大部洲，無數衆生瞻仰，凡做好事，我教他先祭汝口。」那大鵬欲脱難脱，要走怎走，是以没奈何，只得皈依。

行者方纔轉出，向如來叩頭道：「佛爺，你今收了妖精，除了大害，只是没了我師父也。」大鵬咬着牙恨道：「潑猴頭！尋這等狠人困我！你那老和尚幾曾吃他？如今在那錦香亭鐵櫃裏不是？」行者聞言，忙叩頭謝了佛祖。佛祖不敢鬆放了大鵬，也衹教他在光焰上做個護法，引衆回雲，徑歸寶刹。

行者却按落雲頭，直入城裏。那城裏一個小妖兒也没有了。正是「蛇無頭而不行，鳥無翅而不飛。」他見佛祖收了妖王，各自逃生而去。行者才解救了八戒、沙僧，尋着行李、馬匹，與他二人説：「師父不曾吃。都跟我來。」引他兩個徑入内院，找着錦香亭，打開門看，内有一個鐵櫃，衹聽得三藏有啼哭之聲。沙僧使降妖杖打開鐵鎖，揭開櫃蓋，叫聲「師父。」三藏見了，放聲大哭道：「徒弟啊！怎生降得妖魔？如何得到此尋着我也？」行者把上

項事，從頭至尾，細閱了一遍。三藏感謝不盡。師徒們在那宮殿裏尋了些米糧，安排些茶飯，飽吃一餐，收拾出城，找大路投西而去。正是：

真經必得真人取，意嚷心勞總是虛。

畢竟這一去，不知幾時得面如來，且聽下回分解。

總批：

有文殊、普賢、如來，便有青獅、白象、大鵬，即道學先生人心道心之説也。勿看遠了。

第七十八回 比丘憐子遣陰神 金殿識魔談道德

一念才生動百魔，修持最苦奈他何。但憑洗滌無塵垢，也用收拴有琢磨。掃退萬緣歸寂滅，蕩除千怪莫蹉跎。管教跳出樊籠套，行滿飛昇上大羅。

話説孫大聖用盡心機，請如來收了衆怪，解脱三藏師徒之難，離獅駝城西行。又經數月，早值冬天。但見那：

嶺梅將破玉，池水漸成冰。紅葉俱飄落，青松色更新。淡雲飛欲雪，枯草伏山平。滿目寒光迥，陰陰透骨冷。

師徒們衝寒冒冷，宿雨餐風。正行間，又見一座城池。三藏問道：「悟空，那廂又是甚麼所在？」行者道：「到跟前自知。若是西邸王位，鬚要倒換關文；若是府州縣，徑過。」師徒言語未畢，早至城門之外。

三藏下馬，一行四衆，進了月城。見一個老軍，在向陽墻下，偎風而睡。行者近前，搖他一下，叫聲「長官」。那老軍猛然驚覺，麻麻糊糊的睁開眼，看見行者，連忙跪下磕頭，叫：「爺爺！」行者道：「你休胡驚作怪。我又不是甚麼惡神，你叫「爺爺」怎的！」老軍磕頭道：「你是雷公爺爺？」行者道：「胡説！吾乃東土去西天取經的僧人。適纔到此，不知地名，問你一聲的。」那老軍聞言，却纔正了心，打個呵欠，爬起來，伸伸腰道：「長老，長老，恕小人之罪。此處地方，原唤比丘國，今改作小子城。」行者道：「國中有帝王否？」老軍道：「有！有！有！」

行者却轉身對唐僧道：「師父，此處原是比丘國，今改小子城。但不知改名之意何故也。」唐僧疑惑道：「既雲比丘，又何雲小子？」八戒道：「想是比丘王崩了，新立王位的是個小子，故名小子城。」唐僧道：「無此理！無此理！我們且進去，到街坊上再問。」沙僧道：「正是。那老軍一則不知，二則被大哥唬得胡説。且入城去詢問。」

又入三層門裏，到通衢大市觀看，倒也衣冠濟楚，人物清秀。但見那：

酒樓歌館語聲喧，彩鋪茶房高挂簾。萬户千門生意好，六街三市廣財源。買金販錦人如蟻，奪利爭名祇爲錢。

禮貌莊嚴風景盛，河清海晏太平年。

師徒四衆牽着馬，挑着擔，在街市上行够多時，看不盡繁華氣概。但衹見家家門口一個鵝籠。三藏道：『徒弟啊，此處人家，都將鵝籠放在門首，何也？』八戒聽説，左右觀之，果是鵝籠，排列五色彩緞遮幔。呆子笑道：『師父，今日想是黄道良辰，宜結婚姻會友。都行禮哩。』行者道：『胡談！那裏就家家都行禮！其間必有緣故。等我上前看看。』三藏扯住道：『你莫去。你嘴臉醜陋，怕人怪你。』行者道：『我變化個兒去來。』

好大聖，捻着訣，念聲咒語，摇身一變，變作一個蜜蜂兒，展開翅，飛近邊前，鑽進幔裏觀看。原來裏面坐的是個小孩兒。再去第二家籠裏看，也是個小孩兒。連看八九家，都是個小孩兒。却是男身，更無女子。有的坐在籠中頑耍，有的坐在裏邊啼哭，有的吃果子，有的或睡坐。行者看罷，現原身，回報唐僧道：『那籠裏是些小孩子，大者不滿七歲，小者衹有五歲，不知何故。』三藏見説，疑思不定。

忽轉街見一衙門，乃金亭館驛。長老喜道：『徒弟，我們且進這驛裏去。一則問他地方，二則撒和馬匹，三則天晚投宿。』沙僧道：『正是，正是，快進去耶。』四衆欣然而入。衹見那在官人果報與驛丞。接入門，各各相見。叙坐定，驛丞問：『長老自何方來？』三藏言：『貧僧東土大唐差往西天取經者。今到貴處，有關文理當照驗，權借高衙一歇。』驛丞即命看茶。茶畢，即辦支應，命當直的安排管待。三藏稱謝。又問：『今日可得入朝見駕，照驗關文？』驛丞道：『今晚不能，須待明日早朝。今晚且于敝衙門寬住一宵。』

少頃，安排停當，驛丞即請四衆，同吃了齋供。又教手下人打掃客房安歇。三藏感謝不盡。

既坐下，長老道：『貧僧有一件不明之事請教，煩爲指示。貴處養孩兒，不知怎生看待。』驛丞道：『「天無二日，人無二理。」養育孩童，父精母血，懷胎十月，待時而生；生下乳哺三年，漸成體相。豈有不知之理！』三藏道：『據尊言與敝邦無异；但貧僧進城時，見街坊人家，各設一鵝籠，都藏小兒在內。此事不明，故敢動問。』驛丞附耳低

言道：『長老莫管他，莫問他，也莫理他，說他。請安置，明早走路。』長老聞言，一把扯住驛丞，定要問個明白。驛丞搖頭搖指，衹叫：『謹言！』三藏一發不放，執死定要問個詳細。驛丞無奈，只得屏去一應在官人等。獨在燭光之下，悄悄而言道：『適所問鵝籠之事，乃是當今國主無道之事。你衹管問他怎的！』三藏道：『何爲無道？必見教明白，我方得放心。』

驛丞道：『此國原是比丘國，近有民謠，改作小子城。三年前，有一老人，打扮做道人模樣，携一小女子，年方一十六歲，其女形容嬌俊，貌若觀音。進貢與當今陛下，愛其色美，寵倖在宮，號爲美後。近來把三宮娘娘，六院妃子，全無正眼相覷，不分晝夜，貪歡不已。如今弄得精神瘦倦，身體尪羸，飲食少進，命在須臾。太醫院檢盡良方，不能療治。那進女子的道人，受我主誥封，稱爲國丈。國丈有海外秘方，甚能延壽。前者去十洲、三島，采將藥來，俱已完備。但只是藥引子利害：單用着一千一百一十一個小兒的心肝，煎湯服藥。服後有千年不老之功。這些鵝籠裏的小兒，俱是選就的，養在裏面。人家父母，懼怕王法，俱不敢啼哭，遂傳播謡言，叫做小兒城。此非無道而何？長老明早到朝，衹去倒换關文，不得言及此事。』言畢，抽身而退。

唬得個長老骨軟筋麻，止不住腮邊泪墮，急失聲叫道：『昏君，昏君！爲你貪歡愛美，弄出病來，怎麽屈傷這許多小兒性命！苦哉！苦哉！痛殺我也！』有詩爲證。詩曰：

邪主無知失正真，貪歡不省暗傷身。因求永壽戕童命，爲解天災殺小民。僧發慈悲難割捨，官言利害不堪聞。燈前灑泪長吁嘆，痛倒參禪向佛人。

八戒近前道：『師父，你是怎的起哩？「專把別人棺材擡在自家家裏哭」！不要煩惱！常言道：「君教臣死，臣不死不忠；父教子亡，子不亡不孝。」他傷的是他的子民，與你何幹！且來寬衣服睡覺，「莫替古人耽憂」。』三藏滴泪道：『徒弟啊，你是一個不慈憫的！我出家人，積功累行，第一要行方便。怎麽這昏君一味胡行！從來也不見吃人心肝，可以延壽。這都是無道之事，教我怎不傷悲！』沙僧道：『師父且莫傷悲。等明早倒换關文，覿面與國王講過。如若不從，看他是怎麽模樣的一個國丈。或恐那國丈是個妖精，欲吃人的心肝，故設此法，未可知也。』

行者道：『悟净說得有理。師父，你且睡覺，明日等老孫同你進朝，看國丈的好歹。如若是人，衹恐他走了傍門，不知正道，徒以采藥爲真，待老孫將先天之要旨，化他皈正；若是妖邪，我把他拿住，與這國王看看，教他寬欲養身，斷不教他傷了那些孩童性命。』三藏聞言，急躬身，反對行者施禮道：『徒弟啊，此論極妙！極妙！但只是見了昏君，不可便問此事，恐那昏君不分遠近，并作謡言見罪，却怎生區處？』行者笑道：『老孫自有法力。如今先將鵝籠小兒攝離此城，教他明日無物取心。地方官自然奏表。那昏君必有旨意，或與國丈商量，或者另行選報。那時節，借此舉奏，决不致罪坐于我也。』三藏甚喜。又道：『如今怎得小兒離城？若果能脫得，真賢徒天大之德！可速爲之，略遲緩些，恐無及也。』行者抖擻神威，即起身，吩咐八戒、沙僧：『同師父坐着，等我施爲，你看但有陰風刮動，就是小兒出城了。』他三人一齊俱念：『南無救生藥師佛！南無救生藥師佛！』

這大聖出得門外，打個唿哨，起在半空，捻了訣，念動真言，叫聲『唵净法界』，拘得那城隍、土地、社令、真官，并五方揭諦、四值功曹、六丁六甲與護教伽藍等衆，都到空中。對他施禮道：『大聖，夜唤吾等，有何急事？』行者道：『今因路過比丘國，那國王無道，聽信妖邪，要取小兒心肝做藥引子，指望長生。我師父十分不忍，欲要救生滅怪，故老孫特請列位，各使神通，與我把這城中各街坊人家鵝籠裏的小兒，連籠都攝出城外山凹中，或樹林深處，收藏一二日，與他些果子食用，不得餓損；再暗的護持，不得使他驚恐啼哭。待我除了邪，治了國，勸正君王，臨行時，送來還我。』

衆神聽令，即便各使神通，按下雲頭。滿城中陰風滾滾，慘霧漫漫：

陰風颼暗一天星，慘霧遮昏千里月。起初時，還蕩蕩悠悠；次後來，就轟轟烈烈。悠悠蕩蕩，各尋門户救孩童；烈烈轟轟，都看鵝籠援骨血。冷氣侵人怎出頭，寒威透體衣如鐵。父母徒張皇，兄嫂皆悲切。滿地卷陰風，籠兒被神攝。此夜縱孤恓，天明盡歡悅。

有詩爲證。詩曰：

釋門慈憫古來多，正善成功説摩訶。萬聖千真皆積德，三皈五戒要從和。比丘一國非君亂，小子千名是命訛。行者因師同救護，這場陰騭勝波羅。

當夜有三更時分，衆神祇把鵝籠攝去各處安藏。

行者按下祥光，徑至驛庭上。祇聽得他三人還念「南無救生藥師佛」哩。他也心中暗喜。近前叫：「師父，我來也。陰風之起何如？」八戒道：「好陰風！」三藏道：「救兒之事，却怎麽説？」行者道：「已一一救他出去，待我們起身時送還。」長老謝了又謝，方纔就寢。

至天曉，三藏醒來，遂結束齊備道：「悟空，我趁早朝，倒換關文去也。」行者道：「師父，你自家去，恐不濟事；待老孫和你同去，看那國丈邪正如何。」三藏道：「你去却不肯行禮，恐國王見怪。」行者道：「我不現身，暗中跟隨你，就當保護。」三藏甚喜，吩咐八戒、沙僧看守行李、馬匹。却纔舉步，這驛丞又來相見。看這長老打扮起來，比昨日又甚不同。但見他：

身上穿一領錦　异寶佛袈裟，頭戴金頂毗盧帽。九環錫杖手中拿，胸藏一點神光妙。通關文牒緊隨身，包裹袋中纏錦套。行似阿羅降世間，誠如活佛真容貌。

那驛丞相見禮畢，附耳低言，祇教莫管閑事。三藏點頭應聲。大聖閃在門旁，念個咒語，摇身一變，變做個蟭蟟蟲兒，嚶的一聲，飛在三藏帽兒上。出了館驛，徑奔朝中。

及到朝門外，見有黄門官，即施禮道：「貧僧乃東土大唐差往西天取經者。今到貴地，理當倒換關文。意欲見駕，伏乞轉奏轉奏。」那黄門官果爲傳奏。國王喜道：「遠來之僧，必有道行。」教請進來。黄門官復奉旨，將長老請入。長老階下朝見畢，復請上殿賜坐。長老又謝恩坐了。祇見那國王相貌尪羸，精神倦怠。舉手處，揖讓差池；開言時，聲音斷續。長老將文牒獻上，那國王眼目昏朦，看了又看，方纔取寶印用了花押，遞與長老。長老收訖。

那國王正要問取經原因，祇聽得當駕官奏道：「國丈爺爺來矣。」那國王即扶着近侍小宦，挣下龍床，躬身迎接。慌得那長老急起身，側立于旁。回頭觀看，原來是一個老道者，自玉階前，摇摇擺擺而進。但見他：

頭上戴一頂淡鵝黄九錫雲錦紗巾，身上穿一領箸頂梅沉香綿絲鶴氅。腰間繫一條紉藍三股攢絨帶，足下踏一對麻經葛緯雲頭履。手中拄一根九節枯藤盤龍拐杖，胸前挂一個描龍刺鳳團花錦囊。玉面多光潤，蒼髯頷下飄。金睛飛火焰，長目過眉梢。行動雲隨步，逍遥香霧饒。階下衆官都拱接，齊呼國丈進王朝。

那國丈到寶殿前，更不行禮，昂昂烈烈，徑到殿上。國王欠身道：「國丈仙踪，今喜早降。」就請左手綉墩上坐。三藏起一步，躬身施禮道：「國丈大人，貧僧問訊了。」那國丈端然高坐，亦不回禮。轉面向國王道：「僧家何來？」國王道：「東土唐朝差上西天取經者，今來倒驗關文。」國丈笑道：「西方之路，黑漫漫有甚好處！」三藏道：「自古西方乃極樂之勝境，如何不好？」那國王問道：「朕聞上古有云：『僧是佛家弟子。』端的不知爲僧可能不死，向佛可能長生？」三藏聞言，急合掌應道：

「爲僧者，萬緣都罷；了性者，諸法皆空。大智閑閑，澹泊在不生之内；真機默默，逍遥于寂滅之中。三界空而百端治，六根凈而千種窮。若乃堅誠知覺，須當識心：心净則孤明獨照，心存則萬境皆清。真容無欠亦無餘，生前可見；幻相有形終有壞，分外何求？行功打坐，乃爲入定之原；佈惠施恩，誠是修行之本。大巧若拙，還知事事無爲；善計非籌，必須頭頭放下。但使一心不動，萬行自全；若雲采陰補陽，誠爲謬語，服餌長壽，實乃虚詞。

在半空中這場好殺：

如意棒，蟠龍拐，虛空一片雲叆叆。原來國丈是妖精，故將怪女稱嬌色。國主貪歡病染身，妖邪要把兒童宰。相逢大聖顯神通，捉怪救人將難解。鐵棒當頭着實兇，拐棍迎來堪喝采。殺得那滿天霧氣暗城池，城裏人家都失色。文武多官魂魄飛，嬪妃綉女容顏改。唬得那比丘昏主亂身藏，戰戰兢兢没佈擺。棒起猶如虎出山，拐輪却似龍離海。今番大鬧比丘城，致令邪正分明白。

那妖精與行者苦戰二十餘合，蟠龍拐抵不住金箍棒，虛幌了一拐，將身化作一道寒光，落入皇宮內院，把進貢的妖後帶出宮門，併化寒光，不知去向。

大聖按落雲頭，到了宮殿下。對多官道：『你們的好國丈啊！』多官一齊禮拜，感謝神僧。行者道：『且休拜，且去看你那昏主何在。』多官道：『我主見爭戰時，驚恐潜藏，不知向那座宮中去也。』行者即命：『快尋！莫被美後拐去！』多官聽言，不分內外，同行者先奔美后宮，漳然無踪，連美後也通不見了。正宮、東宮、西宮、六院，概衆後妃，都來拜謝大聖。大聖道：『且請起，不到謝處哩。且去尋你主公。』

少時，見四五個太監，攙着那昏君自謹身殿後面而來。衆臣俯伏在地，齊聲啓奏道：『主公！主公！感得神僧到此，辨明真假。那國丈乃是個妖邪，連美後亦不見矣。』國王聞言，即請行者出皇宮，到寶殿，拜謝了道：『長老，你早間來的模樣，那般俊偉，這時如何就改了形容？』行者笑道：『不瞞陛下說。早間來者，是我師父，乃唐朝御弟三藏。我是他徒弟孫悟空。還有兩個師弟：猪悟能、沙悟凈，見在金亭館驛。因知你信了妖言，要取我師父心肝做藥引，是老孫變作師父模樣，特來此降妖也。』那國王聞說，即傳旨着閣下太宰快去驛中請師衆來朝。

那三藏聽見行者現了相，在空中降妖，唬得魂飛魄散，幸有八戒、沙僧護持。他又臉上戴着一片子臊泥，正悶悶不快，衹聽得人叫道：『法師，我等乃比丘國王差來的閣下太宰，特請入朝謝恩也。』八戒笑道：『師父，莫

行者跑近身，掣棒高叫道：「我把你這伙毛團！甚麽「好機會」！吃我一棒！」那老怪丟了美人，輪起蟠龍拐，急架相迎。他兩個在洞前，這場好殺，比前又甚不同：

棒舉迸金光，拐輪兇氣發。那怪道：「你無知敢進我門來！」行者道：「我有意降妖怪！」那怪道：「我戀國主你無幹，怎的欺心來展抹？」行者道：「僧修政教本慈悲，不忍兒童活見殺。」語去言來各恨仇，棒迎拐架當心札。促損琪花爲顧生，踢破翠苔因把滑。祇殺得那洞中霞采欠分明，岩上芳菲俱掩壓。乒乓驚得鳥難飛，吆喝嚇得美人散。祇存老怪與猴王，呼呼捲地狂風颳。看看殺出洞門來，又撞悟能呆性發。

原來八戒在外邊，聽見他們裏面嚷鬧，激得他心癢難撓，掣釘鈀，把一棵九叉楊樹刨倒；使鈀築了幾下，築得那鮮血直冒，嚶嚶的似乎有聲。他道：「這棵樹成了精也！這棵樹成了精也！」按在地下，又正築處，祇見行者引怪出來。那呆子不打話，趕上前，舉鈀就築。那老怪戰行者已是難敵，見八戒鈀來，愈覺心慌，敗了陣，將身一幌，化道寒光，徑投東走。他兩個決不放鬆，向東趕來。

正當喊殺之際，又聞得鸞鶴聲鳴，祥光縹緲。舉目視之，乃南極老人星也。那老人把寒光罩住，叫道：「大聖慢來，天蓬休趕。老道在此施禮哩。」行者即答禮道：「壽星兄弟，那裏來？」八戒笑道：「肉頭老兒，罩住寒光，必定捉住妖怪了。」壽星陪笑道：「在這裏，在這裏。望二公饒他命罷。」行者道：「老怪不與老弟相幹，爲何來説人情？」壽星笑道：「他是我的一副脚力，不意走將來，成此妖怪。」行者道：「既是老弟之物，祇教他現出本相來看看。」壽星聞言，即把寒光放出，喝道：「孽畜！快現本相，饒你死罪！」那怪打個轉身，原來是祇白鹿。壽星拿起拐杖道：「這孽畜！連我的拐棒也偷來也！」那祇鹿俯伏在地，口不能言，祇管叩頭滴泪。但見他：

一身如玉簡斑斑，兩角參差七汊灣。幾度飢時尋藥圃，有朝渴處飲雲潺。年深學得飛騰法，日久修成變化顔。今見主人呼喚處，現身珉耳伏塵寰。

壽星謝了行者，就跨鹿而行。被行者一把扯住道：「老弟，且慢走。還有兩件事未完哩。」壽星道：「還有甚麽未完之事？」行者道：「還有美人未獲，不知是個甚麽怪物；還又要同到比丘城見那昏君，現相回旨也。」壽星道：「既這等説，我且寧耐。你與天蓬下洞擒捉那美人來，同去現相可也。」行者道：「老弟略等等兒，我們去了就來。」

那八戒抖擻精神，隨行者徑入清華仙府，吶聲喊，叫：「拿妖精！拿妖精！」那美人戰戰兢兢，正自難逃，又聽得喊聲大振，即轉石屏之内，又没個後門出頭；被八戒喝聲「那裏走！我把你這個哄漢子的臊精！看鈀！」那美人手中又無兵器，不能迎敵，將身一閃，化道寒光，往外就走；被大聖抵住寒光，乒乓一棒，那怪立不住脚，倒在塵埃，現了本相，原來是一個白面狐狸。呆子忍不住手，舉鈀往頭一築，可憐把那個傾城傾國千般笑，化作毛團狐狸形！行者叫道：「莫打爛他，且留他此身去見昏君。」

那呆子不嫌穢污，一把揪住尾子，拖拖扯扯，跟隨行者出得門來。祇見那壽星老兒手摸着鹿頭罵道：「好孽畜啊！你怎麽背主逃去，在此成精！若不是我來，孫大聖定打死你了。」行者跳出來道：「老弟説甚麽？」壽星道：「我囑鹿哩！我囑鹿哩！」八戒將個死狐狸攢在鹿的面前道：「這可是你的女兒麽？」那鹿點頭幌腦，伸着嘴，聞他幾聞，呦呦發聲，似有眷戀不捨之意。被壽星劈頭撲了一掌道：「孽畜！你得命足矣，又聞他怎的？」即解下勒袍腰帶，把鹿扣住頸項，牽將起來，道：「大聖，我和你比丘國相見去也。」行者道：「且住！索性把這邊都掃個乾净，庶免他年復生妖孽。」

八戒聞言，舉鈀將柳樹亂築。行者又念聲「唵」字真言，依然拘出當坊土地，叫：「尋些枯柴，點起烈火，與你這方消除妖患，以免欺凌。」那土地即轉身，陰風颯颯，帥起陰兵，搬取了些迎霜草、秋青草、蓼節草、山蕊草、蔞蒿柴、龍骨柴、蘆荻柴，都是隔年乾透的枯焦之物，見火如同油膩一般。行者叫：「八戒，不必築樹。但得此物填塞洞裏，放起火來，燒得個乾净。」火一起，果然把一座清華妖怪宅，燒作火池坑。

這裏才喝退土地，同壽星牽着鹿，拖着狐狸，一齊回到殿前，對國王道：「這是你的美後。與他耍子兒麽？」那國王膽戰心驚。又袛見孫大聖引着壽星，牽着白鹿，都到殿前，唬得那國裏君臣妃後，一齊下拜。行者近前，攙住國王，笑道：「且休拜我。這鹿兒却是國丈，你袛拜他便是。」那國王羞愧無地，袛道：「感謝神僧救我一國小兒，真天恩也！」即傳旨教光禄寺安排素宴，大開東閣，請南極老人與唐僧四衆，共坐謝恩。三藏拜見了壽星，沙僧亦以禮見。都問道：「白鹿既是老壽星之物，如何得到此間爲害？」壽星笑道：「前者，東華帝君過我荒山，我留坐着棋，一局未終，這孽畜走了。及客去尋他不見，我因屈指詢算，知他走在此處，特來尋他，正遇着孫大聖施威。若果來遲，此畜休矣。」叙不了，袛見報道：「宴已完備。」好素宴：

五彩盈門，异香滿座。桌挂綉緯生錦艷，地鋪紅毯幌霞光。寶鴨内，沉檀香裊；御筵前，蔬品香馨。看盤高果砌樓臺，龍纏鬥糖擺走獸。鴛鴦錠，獅仙糖，似模似樣；鸚鵡杯，鷺鷥杓，如相如形。席前果品般般盛，案上齋肴件件精。魁圓繭栗，鮮荔桃子。棗兒柿餅味甘甜，松子葡萄香膩酒。幾般蜜食，數品蒸酥。油札糖澆，花團錦砌。金盤高壘大饃饃，銀碗滿盛香稻飯。辣紅葛湯水粉條長，香噴噴相連添换美。說不盡蘑菇、木耳、嫩笋、黄精，十香素菜，百味珍饈。往來綽摸不曾停，進退諸般皆盛設。

當時叙了坐次，壽星首席，長老次席，國王前席。行者、八戒、沙僧側席。旁又有兩三個太師相陪左右。即命教坊司動樂。國王擎着紫霞杯，一一奉酒。惟唐僧不飲。八戒向行者道：「師兄，果子讓你，湯飯等鬟請讓我受用受用。」那呆子不分好歹，一齊亂上，但來的吃個精空。

一席筵宴已畢，壽星告辭。那國王又近前跪拜壽星，求祛病延年之法。壽星笑道：「我因尋鹿，未帶丹藥。欲傳你修養之方，你又筋衰神敗，不能還丹。我這衣袖中，袛有三個棗兒，是與東華帝君獻茶的，我未曾吃，今送你罷。」國王吞之，漸覺身輕病退。後得長生者，皆原于此。八戒看見，就叫道：「老壽，有火棗，送我幾個吃吃。」壽星道：「未曾帶得。待改日我送你幾斤。」出了東閣，道了謝意，將白鹿一聲喝起，飛跨背上，踏雲而去。這朝中君王妃後，城中黎庶居民，各各焚香禮拜不題。

三藏叫：「徒弟，收拾辭王。」那國王又苦留求教。行者道：「陛下，從此色欲少貪，陰功多積，凡百事將長補短，自足以祛病延年，就是教也。」遂拿出兩盤散金碎銀，奉爲路費。唐僧堅辭，分文不受。國王無已，命擺鸞駕，請唐僧端坐鳳輦龍車，王與嬪後，俱推輪轉轂，方送出朝。六街三市，百姓群黎，亦皆盞添净水，爐降真香，又送出城。忽聽得半空中一聲風響，路兩邊落下一千一百一十一個鵝籠，内有小兒啼哭，暗中有原護的城隍、土地、社令、真官、五方揭諦、四值功曹、六丁六甲、護教伽藍等衆，應聲高叫道：「大聖，我等前蒙吩咐，攝去小兒鵝籠，今知大聖功成起行，一一送來也。」那國王妃後與一應臣民，又俱下拜。行者望空道：「有勞列位，請各歸祠，我着民間祭祀謝你。」呼呼淅淅，陰風又起而退。

行者叫城裏人家來認領小兒。當時傳播，俱來各認出籠中之兒，歡歡喜喜，抱出叫哥哥，叫肉兒，跳的跳，笑的笑，都叫：「扯住唐朝爺爺，到我家奉謝救兒之恩！」無大無小，若男若女，都不怕他相貌之醜，抬着豬八戒，扛着沙和尚，頂着孫大聖，撮着唐三藏，牽着馬，挑着擔，一擁回城。那國王也不能禁止。這家也開宴，那家也設席。請不及的，或做僧帽、僧鞋、褊衫、佈襪，裏裏外外，大小衣裳，都來相送。如此盤桓，將有個月，才得離城。又有傳下影神，立起牌位，頂禮焚香供養。這才是：

陰功高壘恩山重，救活千千萬萬人。

畢竟不知向後又有甚麽事體，且聽下回分解。

總批：

誰人没個玉面狐狸，安得行者打殺？

第八十回 姹女育陽求配偶 心猿護主識妖邪

却説比丘國君臣黎庶，送唐僧四衆出城，有二十里之遠，還不肯捨。三藏勉强下輦，乘馬辭别而行。目送者直至望不見踪影方回。

四衆行够多時，又過了冬殘春盡，看不了野花山樹，景物芳菲。前面又見一座高山峻嶺。三藏心驚，問道：『徒弟，前面高山，有路無路？是必小心！』行者笑道：『師父這話，也不像個走長路的，却似個公子王孫，坐井觀天之類。自古道：「山不礙路，路自通山。」何必言有路無路？』三藏道：『雖然是山不礙路，但恐險峻之間生怪物，密查深處出妖精。』八戒道：『放心，放心！這裏來相近極樂不遠，管取太平無事！』

師徒正説，不覺的到了山脚下。行者取出金箍棒，走上石崖，叫道：『師父，此間乃轉山的路兒，忒好步。快來！快來！』長老只得放懷策馬。沙僧教：『二哥，你把擔子挑一肩兒。』真個八戒接了擔子挑上。沙僧攏着繮繩，老師父穩坐雕鞍，隨行者都奔山崖上大路。但見那山：

雲霧籠峰頂，潺溪湧澗中。百花香滿路，萬樹密叢叢。梅青李白，柳緑桃紅。杜鵑啼處春將暮，紫燕呢喃社已終。嵯峨石，翠蓋松。崎嶇嶺道，突兀玲瓏。削壁懸崖峻，薜蘿草木秾。千岩競秀如排戟，萬壑爭流遠浪洪。

老師父緩觀山景，忽聞啼鳥之聲，又起思鄉之念。兜馬叫道：『徒弟！

我自天牌傳旨意，錦屏風下領關文。觀燈十五離東土，才與唐王天地分。甫能龍虎風雲會，却又師徒拗馬軍。行盡巫山峰十二，何時對子見當今？』

行者道：『師父，你常以思鄉爲念，全不似個出家人。放心且走，莫要多憂。古人云：「欲求生富貴，鬚下死工夫。」』三藏道：『徒弟，雖然説得有理，但不知西天路還在那裏哩！』八戒道：『師父，我佛如來捨不得那三藏經，知我們要取去，想是搬了；不然，如何祇管不到？』沙僧道：『莫胡談！祇管跟着大哥走。祇把工夫挨他，終鬚有個到之之日。』

師徒正自閑叙，又見一派黑松大林。唐僧害怕，又叫道：『悟空，我們才過了那崎嶇山路，怎麽又遇這個深黑松林？是必在意。』行者道：『怕他怎的！』三藏道：『説那裏話！「不信直中直，鬚防仁不仁。」我也與你走過好幾處松林，不似這林深遠。你看：

東西密擺，南北成行。東西密擺徹雲霄，南北成行侵碧漢。密查荆棘周圍結，蓼却纏枝上下盤。藤來纏葛，葛去纏藤。藤來纏葛，東西客旅難行；葛去纏藤，南北經商怎進。這林中，住半年，那分日月；行數裏，不見斗星。你看那背陰之處千般景，向陽之所萬叢花。又有那千年槐，萬載檜，耐寒松，山桃果，野芍藥，旱芙蓉，一攢攢密砌重堆，亂紛紛神仙難畫。又聽得百鳥聲：鸚鵡哨，杜鵑啼，喜鵲穿枝，烏鴉反哺，黄鸝飛舞，百舌調音，鷓鴣鳴，紫燕語，八哥兒學人説話，畫眉郎也會看經。又見那大蟲擺尾，老虎磕牙，多年狐狢妝娘子，日久蒼狼吼振林。就是托塔天王來到此，縱會降妖也失魂！』

孫大聖公然不懼，使鐵棒上前劈開大路，引唐僧徑入深林。逍逍遥遥，行經半日，未見出林之路。唐僧叫道：『徒弟，一向西來，無數的山林崎險，倖得此間清雅，一路太平。這林中奇花异卉，其實可人情意！我要在此坐坐：一則歇馬；二則腹中飢了，你去那裏化些齋來我吃。』行者道：『師父請下馬，老孫化齋去來。』那長老果然下了馬。八戒將馬拴在樹上，沙僧歇下行李，取了鉢盂，遞與行者。行者道：『師父穩坐，莫要驚怕。我去了就來。』三藏端坐松陰之下，八戒、沙僧却去尋花覓果閑耍。

却説大聖縱筋斗，到了半空，佇定雲光，回頭觀看，衹見松林中祥雲縹緲，瑞靄氤氲。他忽失聲叫道：『好啊！好啊！』你道他叫好做甚？原來誇奬唐僧，説他是金蟬長老轉世，十世修行的好人，所以有此祥瑞罩頭。『若我老孫，方五百年前大鬧天宫之時，雲遊海角，放蕩天涯，聚群精自稱齊天大聖，降龍伏虎，消了死籍，頭戴着三額金冠，

你放着活人的性命還不救，昧心拜佛取何經？』

唐僧在馬上聽得又這般叫喚，即勒馬叫：『悟空，去救那女子下來罷。』行者道：『師父走路，怎麽又想起他來了？』唐僧道：『他又在那裏叫哩。』行者問：『八戒，你聽見麽？』八戒道：『耳大遮住了，不曾聽見。』又問：『沙僧，你聽見麽？』沙僧道：『我挑擔前走，不曾在心，也不曾聽見。』行者道：『老孫也不曾聽見。師父，他叫甚麽？偏你聽見。』唐僧道：『他叫得有理。說道：「活人性命還不救，昧心拜佛取何經？」「救人一命，勝造七級浮屠。」快去救他下來，强似取經拜佛。』行者笑道：『師父要善將起來，就没藥醫。你想你離了東土，一路西來，却也過了幾重山場，遇着許多妖怪，常把你拿將進洞，老孫來救你，使鐵棒，常打死千千萬萬；今日一個妖精的性命，捨不得，要去救他？』唐僧道：『徒弟呀，古人云：「勿以善小而不爲，勿以惡小而爲之。」還去救他救罷。』行者道：『師父既然如此，只是這個擔兒，老孫却擔不起。你要救他，我也不敢苦勸你：勸一會，你又惱了。任你去救。』唐僧道：『猴頭莫多話！你坐着，等我和八戒救他去。』

唐僧回至林裏，教八戒解了上半截繩子，用鈀築出下半截身子。那怪跌跌鞋，束束裙，喜孜孜跟着唐僧出松林，見了行者。行者只是冷笑不止。唐僧罵道：『潑猴頭！你笑怎的？』行者道：『我笑你「時來逢好友，運去遇佳人。」』三藏又罵道：『潑猢猻！胡說！我自出娘肚皮，就做和尚。如今奉旨西來，虔心禮佛求經，又不是利祿之輩，有甚運退時！』行者笑道：『師父，你雖是自幼爲僧，却衹會看經念佛，不曾見王法條律。這女子生得年少標緻，我和你乃出家人，同他一路行走，倘或遇着歹人，把我們拿送官司，不論甚麽取經拜佛，且都打做姦情；縱無此事，也要問個拐帶人口：師父追了度牒，打個小死；八戒該問充軍；沙僧也問擺站；我老孫也不得乾浄，饒我口能，怎麽折辯，也要問個不應。』三藏喝道：『莫胡說！終不然，我救他性命，有甚貽累不成！帶了他去。凡有事，都在我身上。』

行者道：『師父雖說有事在你，却不知你不是救他，反是害他。』三藏道：『我救他出林，得其活命，怎麽反是害他？』行者道：『他當時綁在林間，或三五日，十日，半月，没飯吃，餓死了，還得個完全身體歸陰；如今帶他出來，你坐得是個快馬，行路如風，我們只得隨你，那女子脚小，挪步艱難，怎麽跟得上走？一時把他丢下，若遇着狼蟲虎豹，一口吞之，却不是反害其生也？』三藏道：『正是呀。這件事却虧你格。如何處置？』行者笑道：『抱他上來，和你同騎着馬走罷。』三藏沉吟道：『我那裏好與他同馬！』『他怎生得去？』三藏道：『教八戒馱他走罷。』行者笑道：『呆子造化到了！』八戒道：『「遠路没輕擔。」教我馱人，有甚造化？』行者道：『你那嘴長，馱着他，轉過嘴來，計較私情話兒，却不便益？』八戒聞此言，捶胸爆跳道：『不好！不好！師父要打我幾下，寧可忍疼。背着他決不得乾浄：師兄一生會贓埋人。我馱不成！』三藏道：『也罷，也罷。我也還走得幾步，等我下來，慢慢的同走，着八戒牽着空馬罷。』行者大笑道：『呆子倒有買賣。師父照顧你牽馬哩。』三藏道：『這猴頭又胡說了！古人云：「馬行千里，無人不能自往。」假如我在路上慢走，你好丢了我去？我若慢，你們也慢。大家一處同這女菩薩走下山去，或到庵觀寺院，有人家之處，留他在那裏，也是我們救他一場。』行者道：『師父說得有理。快請前進。』

三藏撩前走，沙僧挑擔，八戒牽着空馬，行者拿着棒，引着女子，一行前進。不上二三十里，天色將晚。又見一座樓臺殿閣。三藏道：『徒弟，那裏必定是座庵觀寺院，就此借宿了，明日早行。』行者道：『師父說得是。各各走動些。』霎時到了門首。吩咐道：『你們略站遠些，等我先去借宿。若有方便處，着人來叫你。』衆人俱立在柳陰之下，惟行者拿鐵棒，轄着那女子。

長老拽步近前，衹見那門東倒西歪，零零落落。推開看時，忍不住心中凄慘：長廊寂静，古刹蕭疏；苔蘚盈庭，蒿蓁滿徑；惟螢火之飛燈，衹蛙聲而代漏。長老忽然吊下泪來。真個是：

身穿着黃金鎧甲，手執着金箍棒，足踏着步雲履，手下有四萬七千群怪，都稱我做大聖爺爺，着實爲人。如今脱却天灾，做小伏低，與你做了徒弟，想師父頭頂上有祥雲瑞靄罩定，徑回東土，必定有些好處，老孫也必定得個正果。』

正自家這等誇念中間，忽然見林南下有一股子黑氣，骨都都的冒將上來。行者大驚道：『那黑氣裏必定有邪了。我那八戒、沙僧却不會放甚黑氣。』那大聖在半空中，詳察不定。

却説三藏坐在林中，明心見性，諷念那《摩訶般若波羅蜜多心經》，忽聽得嚶嚶的叫聲『救人』。三藏大驚道：『善哉！善哉！這等深林裏，有甚麼人叫？想是狼蟲虎豹唬倒的，待我看看。』那長老起身挪步，穿過千年柏，隔起萬年松，附葛攀藤，近前視之，衹見那大樹上綁着一個女子，上半截使葛藤綁在樹上，下半截埋在土裏。長老立定脚，問他一句道：『女菩薩，你有甚事，綁在此間？』咦！分明這廝是個妖怪，長老肉眼凡胎，却不能認得。那怪見他來問，泪如泉涌。你看他桃腮垂泪，有沉魚落雁之容；星眼含悲，有閉月羞花之貌。長老實不敢近前，又開口問道：『女菩薩，你端的有何罪過？説與貧僧，却好救你。』那妖精巧語花言，虚情假意，忙忙的答應道：『師父，我家住在貧婆國，離此有二百餘裏。父母在堂，十分好善，一生的和親愛友。時遇清明，邀請諸親及本家老小拜掃先塋，一行轎馬，都到了荒郊野外。至塋前，擺開祭禮，剛燒化紙馬，衹聞得鑼鳴鼓響，跑出一伙强人，持刀弄杖，喊殺前來，慌得我們魂飛魄散。父母諸親，得馬得轎的，各自逃了性命；奴奴年幼，跑不動，唬倒在地，被衆强人拐來山内，大大王要做夫人，二大王要做妻室，第三第四個都愛我美色，七八十家一齊争吵，大家都不忿氣，所以把奴奴綁在林間，衆强人散盤而去。今已五日五夜，看看命盡，不久身亡！不知是那世裏祖宗積德，今日遇着老師父到此。千萬發大慈悲，救我一命，九泉之下，决不忘恩！』説罷，泪下如雨。

三藏真個慈心，也就忍不住吊下泪來，聲音哽咽。叫道：『徒弟。』那八戒、沙僧，正在林中尋花覓果，猛聽得師父叫得凄愴，呆子道：『沙和尚，師父在此認了親耶。』沙僧笑道：『二哥胡纏！我們走了這些時，好人也不曾撞見一個，親從何來？』八戒道：『不是親，師父那裏與人哭麼？我和你去看來。』沙僧真個回轉舊處，牽了馬，挑了擔，至跟前叫：『師父，怎麼説？』唐僧用手指定那樹上，叫：『八戒，解下那女菩薩來，救他一命。』呆子不分好歹，就去動手。

却説那大聖在半空中，又見那黑氣濃厚，把祥光盡情蓋了，道聲：『不好，不好！黑氣罩暗祥光，怕不是妖邪害俺師父！化齋還是小事，且去看我師父去。』即返雲頭，按落林裏。衹見八戒亂解繩兒。行者上前，一把揪住耳朵，撲的摔了一跌。呆子抬頭看見，爬起來説道：『師父教我救人，你怎麼恃你有力，將我摜這一跌！』行者笑道：『兄弟，莫解他。他是個妖怪，弄喧兒，騙我們哩。』三藏喝道：『你這潑猴，又來胡説了！怎麼這等一個女子，就認得他是個妖怪！』行者道：『師父原來不知。這都是老孫幹過的買賣，想人肉吃的法兒。你那裏認得！』八戒噴着嘴道：『師父，莫信這弼馬温哄你！這女子乃是此間人家。我們東土遠來，不與相較，又不是親眷，如何説他是妖精！他打發我們丢了前去，他却翻筋斗，弄神法轉來和他幹巧事兒，倒踏門也！』行者喝道：『夯貨！莫亂談！我老孫一向西來，那裏有甚憊懶處？似你這個重色輕生，見利忘義的饢糟，不識好歹，替人家哄了招女婿，綁在樹上哩！』三藏道：『也罷，也罷。八戒啊，你師兄常時也看得不差。既這等説，不要管他，我們去罷。』行者大喜道：『好了！師父是有命的了！請上馬。出松林外，有人家化齋你吃。』四人果一路前進，把那怪撇了。

却説那怪綁在樹上，咬牙恨齒道：『幾年家聞人説孫悟空神通廣大，今日見他，果然話不虚傳。那唐僧乃童身修行，一點元陽未泄，正欲拿他去配合，成太乙金仙，不知被此猴識破吾法，將他救去了。若是解了繩，放我下來，隨手捉將去，却不是我的人兒也？今被他一篇散言碎語帶去，却又不是勞而無功？等我再叫他兩聲，看是如何。』妖精不動繩索，把幾聲善言善語，用一陣順風，嚶嚶的吹在唐僧耳内。你道叫的甚麼？他叫道：『師父啊，

殿宇雕零倒塌，廊房寂寞傾頹。斷磚破瓦十餘堆，盡是些歪梁折柱。前後盡生青草，塵埋朽爛香廚。鐘樓崩壞鼓無皮，琉璃香燈破損。佛祖金身没色，羅漢倒卧東西。觀音淋壞盡成泥，楊柳凈瓶墜地。日内并無僧入，夜間盡宿狐狸。祇聽風響吼如雷，都是虎豹藏身之處。四下墻垣皆倒，亦無門扇關居。

有詩爲證。詩曰：

多年古刹没人修，狼狽凋零倒更休。猛風吹裂伽藍面，大雨澆殘佛像頭。金剛跌損隨淋灑，土地無房夜不收。更有兩般堪嘆處，銅鐘着地没懸樓。

三藏硬着膽，走進二層門。見那鐘鼓樓俱倒了，止有一口銅鐘，札在地下。上半截如雪之白，下半截如靛之青。原來是日久年深，上邊被雨淋白，下邊是土氣上的銅青。三藏用手摸着鐘，高叫道：『鐘啊！你

也曾懸挂高樓吼，也曾鳴遠彩梁聲。也曾鷄啼就報曉，也曾天晚送黄昏。不知化銅的道人歸何處，鑄銅匠作那邊存。想他二命歸陰府，他無踪跡你無聲。』

長老高聲讚嘆，不覺的驚動寺裏之人。那裏邊有一個侍奉香火的道人，他聽見人語，扒起來，拾一塊斷磚，照鐘上打將去。那鐘當的響了一聲，把個長老唬了一跌，挣起身要走，又絆着樹根，撲的又是一跌。長老倒在地下，抬頭又叫道：『鐘啊！

貧僧正然感嘆你，忽的叮噹響一聲。想是西天路上無人到，日久多年變作精。』

那道人趕上前，一把攙住道：『老爺請起。不幹鐘成精之事。却纔是我打得鐘響。』三藏抬頭見他的模樣醜黑，道：『你莫是魍魎妖邪？我不是尋常之人，我是大唐來的，我手下有降龍伏虎的徒弟。你若撞着他，性命難存也！』道人跪下道：『老爺休怕。我不是妖邪，我是這寺裏侍奉香火的道人。却纔聽見老爺善言相讚，就欲出來迎接；恐怕是個邪鬼敲門，故此拾一塊斷磚，把鐘打一下壓驚，方敢出來。老爺請起。』那唐僧方然正性道：『住持，險

些兒唬殺我也。你帶我進去。』

那道人引定唐僧，直至三層門裏看處，比外邊甚是不同。但見那：

青磚砌就彩雲墻，緑瓦蓋成琉璃殿。黄金裝聖像，白玉造階臺。大雄殿上舞青光，毗羅閣下生鋭氣。文殊殿，結采飛雲；輪藏堂，描花堆翠。三檐頂上寶瓶尖，五福樓中平綉蓋。千株翠竹摇禪榻，萬種青松映佛門。碧雲宫裏放金光，紫霧叢中飄瑞靄。朝聞四野香風遠，暮聽山高畫鼓鳴。應有朝陽補破衲，豈無對月了殘經？又祇見半壁燈光明後院，一行香霧照中庭。

三藏見了，不敢進去。叫：『道人，你這前邊十分狼狽，後邊這等齊整，何也？』道人笑道：『老爺，這山中多有妖邪强寇，天色清明，沿山打劫，天陰就來寺裏藏身，被他把佛像推倒墊坐，木植搬來燒火。本寺僧人軟弱，不敢與他講論，因此把這前邊破房都捨與那些强人安歇，從新另化了些施主，蓋得那一所寺院。清混各一，這是西方的事情。』三藏道：『原來是如此。』

正行間，又見山門上有五個大字，乃『鎮海禪林寺』。才舉步，跨入門裏，忽見一個和尚走來。你看他怎生模樣：

頭戴左笄絨錦帽，一對銅圈墜耳根。身着頗羅毛綫服，一雙白眼亮如銀。手中摇着播郎鼓，口念番經聽不真。三藏原來不認得，這是西方路上喇嘛僧。

那喇嘛和尚，走出門來，看見三藏眉清目秀，額闊頂平，耳垂肩，手過膝，好似羅漢臨凡，十分俊雅。他走上前扯住，滿面笑唏唏的與他捻手捻脚，摸他鼻子，揪他耳朵，以示親近之意。携至方丈中，行禮畢，却問：『老師父何來？』三藏道：『弟子乃東土大唐駕下欽差往西方天竺國大雷音寺拜佛取經者。適行至寶方天晚，特奔上刹借宿一宵，明日早行。望垂方便一二。』那和尚笑道：『不當人子！不當人子！我們不是好意要出家的，皆因父母生身，命犯華蓋，家裏養不住，才捨斷了出家；既做了佛門弟子，切莫説脱空之話。』三藏道：『那東土到西天，

有多少路程！路上有山，山中有洞，洞內有精。像你這個單身，又生得嬌嫩，那裏像個取經的！」三藏道：「院主也見得是。貧僧一人，豈能到此。我有三個徒弟，逢山開路，遇水疊橋，保我弟子，所以到得上剎。」那和尚道：「三位高徒何在？」三藏道：「現在山門外伺候。」那和尚慌了道：「師父，你不識我這裏有虎狼、妖賊、鬼怪傷人。白日裏不敢遠出，未經天晚，就關了門户。這早晚把人放在外邊！」叫：「徒弟，快去請將進來。」

有兩個小喇嘛兒，跑出外去，看見行者，唬了一跌；見了八戒，又是一跌；扒起來往後飛跑，道：「爺爺！造化低了！你的徒弟不見，祇有三四個妖怪站在那門首也。」三藏問道：「怎麽模樣？」小和尚道：「一個雷公嘴，一個碓挺嘴，一個青臉獠牙。旁有一個女子，倒是個油頭粉面。」三藏笑道：「你不認得。那三個醜的，是我徒弟。那一個女子，是我打松林裏救命來的。」那喇嘛道：「爺爺呀，這們好俊師父，怎麽尋這般醜徒弟？」三藏道：「他醜自醜，却俱有用。你快請他進來。若再遲了些兒，那雷公嘴的有些闖禍，不是個人生父母養的，他就打進來也。」

那小和尚即忙跑出，戰兢兢的跪下道：「列位老爺，唐老爺請哩。」八戒笑道：「哥啊，他請便罷了，却這般戰兢兢的，何也？」行者道：「看見我們醜陋害怕。」八戒道：「可是扯淡！我們乃生成的，那個是好要醜哩！」行者道：「把那醜且略收拾收拾。」呆子真個把嘴揣在懷裏，低着頭，牽着馬，沙僧挑着擔，行者在後面，拿着棒，轄着那女子，一行進去。穿過了倒塌房廊，入三層門裏。拴了馬，歇了擔，進方丈中，與喇嘛僧相見，分了坐次。那和尚入裏邊，引出七八十個小喇嘛來，見禮畢，收拾辦齋管待。正是：

積功須在慈悲念，佛法興時僧讚僧。

畢竟不知怎生離寺，且聽下回分解。

總批：

篇內云：「祇把工夫挨他，終鬚有個到之日。」是極到家語，着眼，着眼。

第八十一回　鎮海寺心猿知怪　黑松林三衆尋師

話表三藏師徒到鎮海禪林寺，衆僧相見，安排齋供。四衆食畢，那女子也得些食力。漸漸天昏，方丈裏點起燈來。衆僧一則是問唐僧取經來歷，二則是貪看那女子，都攢攢簇簇，排列燈下。

三藏對那初見的喇嘛僧道：「院主，明日離了寶山，西去的路途如何？」那僧雙膝跪下，慌得長老一把扯住道：「院主請起。我問你個路程，你爲何行禮？」那僧道：「老師父明日西行，路途平正，不須費心。只是眼下有件事兒不尷尬，一進門就要說，恐怕冒犯洪威，却纔齋罷，方敢大膽奉告：老師東來，路遥辛苦，都在小和尚房中安歇甚好；只是這位女菩薩，不方便，不知請他那裏睡好。」三藏道：「院主，你不要生疑，說我師徒們有甚邪意。早間打黑松林過，撞見這個女子綁在樹上。小徒孫悟空不肯救他，是我發菩提心，將他救了，到此隨院主送他那裏睡去。」那僧謝道：「既老師寬厚，請他到天王殿裏，就在天王爺爺身後，安排個草鋪，教他睡罷。」三藏道：「甚好，甚好。」遂此時，衆小和尚引那女子往殿後睡去。長老就在方丈中，請衆院主自在，遂各散去。三藏吩咐悟空：「辛苦了，早睡早起。」遂一處都睡了，不敢離側，護着師父。漸入夜深，正是那：

玉兔高昇萬籟寧，天街寂靜斷人行。銀河耿耿星光燦，鼓發譙樓趲換更。

一宵晚話不題。及天明了，行者起來，教八戒、沙僧收拾行囊、馬匹，却請師父走路。此時長老還貪睡未醒。行者近前叫聲「師父」，那師父把頭抬了一抬，又不曾答應得出。行者問：「師父怎麽說？」長老呻吟道：「我怎麽這般頭懸眼脹，渾身皮骨皆疼？」八戒聽說，伸手去摸摸身上，有些發熱。呆子笑道：「我曉得了。這是昨晚見没錢的飯，多吃了幾碗，倒沁着頭睡，傷食了。」行者喝道：「胡說！等我問師父，端的何如。」三藏道：「我半夜之間，起來解手，不曾戴得帽子，想是風吹了。」行者道：「這還說得是。如今可走得路麽？」三藏道：「我如今起坐不得，怎麽上馬？但祇誤了路啊！」行者道：「師父說那裏話！常言道：『一日爲師，終身爲父。』我等

與你做徒弟，就是兒子一般。又說道：「養兒不用阿金溺銀，只是見景生情便好。」你既身子不快，說甚麽誤了行程，便寧耐幾日，何妨！」兄弟們都伏侍着師父，不覺的早盡午來昏又至，良宵才過又侵晨。

光陰迅速，早過了三日。那一日，師父欠身起來叫道：「悟空，這兩日病體沉疴，不曾問得你，那個脫命的女菩薩，可曾有人送些飯與他吃？」行者笑道：「你管他怎的，且顧了自家的病着。」三藏道：「正是，正是。你且扶我起來，取出我的紙、筆、墨，寺裏借個硯臺來使使。」行者道：「要怎的？」長老道：「我要修一封書，併關文封在一處，你替我送上長安駕下，見太宗皇帝一面。」行者道：「這個容易。我老孫别事無能，若說送書，人間第一。你把書收拾停當與我，我一筋斗送到長安，遞與唐王，再一筋斗轉將回來，你的筆硯還不幹哩。但只是你寄書怎的？且把書意念念我聽。念了再寫不遲。」長老滴泪道：「我寫着：

臣僧稽首三頓首，萬歲山呼拜聖君；文武兩班同入目，公卿四百共知聞：當年奉旨離東土，指望靈山見世尊。不料途中遭厄難，何期半路有災屯。僧病沉疴難進步，佛門深遠接天門。有經無命空勞碌，啓奏當今别遣人。」

行者聽得此言，忍不住呵呵大笑道：「師父，你忒不濟，略有些些病兒，就起這個意念。你若是病重，要死要活，衹消問我。我老孫自有個本事。問道「那個閻王敢起心？那個判官敢出票？那個鬼使來勾取？」若惱了我，我拿出那大鬧天宮之性子，又一路棍，打入幽冥，捉住十代閻王，一個個抽了他的筋，還不饒他哩！」三藏道：「徒弟呀，我病重了，切莫說這大話。」

八戒上前道：「師兄，師父說不好，你衹管說好！十分不尷尬，我們趁早商量，先賣了馬，典了行囊，買棺木送終散火。」行者道：「呆子又胡說了！你不知道。師父是我佛如來第二個徒弟，原叫做金蟬長老，衹因他輕慢佛法，該有這場大難。」八戒道：「哥啊，師父既是輕慢佛法，貶回東土，在是非海內，口舌場中，託化做人身，發願往西天拜佛求經，遇妖精就捆，逢魔頭就吊，受諸苦惱，也够了，怎麽又叫他害病？」行者道：「你那裏曉得，老師父不曾聽佛講法，打了一個盹，往下一失，左脚下躧了一粒米，下界來，該有這三日病。」八戒驚道：「像老猪吃東西潑潑撒撒的，也不知害多少年代病是！」行者道：「兄弟，佛不與你衆生爲念。你又不知。人云：『鋤禾日當午，汗滴禾下土。誰知盤中餐，粒粒皆辛苦！』師父衹今日一日，明日就好了。」三藏道：「我今日比昨不同：咽喉裏十分作渴。你去那裏，有凉水尋些來我吃。」行者道：「好了！師父要水吃，便是好了。等我取水去。」

即時取了鉢盂，往寺後面香積厨取水。忽見那些和尚一個個眼兒通紅，悲啼哽咽，只是不敢放聲大哭。行者道：「你們這些和尚，忒小家子樣！我們住幾日，臨行謝你，柴火錢照日算還。怎麽這等膿包！」衆僧慌跪下道：「不敢！不敢！」行者道：「怎麽不敢？想是我那長嘴和尚，食腸大，吃傷了你的本兒也？」衆僧道：「老爺，我這荒山，大大小小，也有百十衆和尚，每一人養老爺一日，也養得起百十日。怎麽敢欺心，計較甚麽食用！」

行者道：「既不計較，你却爲甚麽啼哭？」衆僧道：「老爺，不知是那山裏來的妖邪在這寺裏。我們晚夜間着兩個小和尚去撞鐘打鼓，衹聽得鐘鼓響罷，再不見人回。至次日找尋，衹見僧帽、僧鞋，丢在後邊園裏，骸骨尚存，將人吃了。你們住了三日，我寺裏不見了六個和尚。故此，我兄弟們不由的不怕，不由的不傷。因見你老師父貴恙，不敢傳說，忍不住泪珠偷垂也。」行者聞言，又驚又喜道：「不消說了，必定是妖魔在此傷人也。等我與你剿除他。」衆僧道：「老爺，妖精不精者不靈。一定會騰雲駕霧，一定會出幽入冥。古人道得好：『莫信直中直，須防仁不仁。』老爺，你莫怪我們說：你若拿得他住哩，便與我荒山除了這條禍根，正是三生有倖了；若還拿他不住啊，却有好些兒不便處。」行者道：「怎叫做好些不便處？」那衆僧道：「直不相瞞老爺說。我這荒山，雖有百十衆和尚，却都只是自小兒出家的。

髮長尋刀削，衣單破衲縫。早晨起來洗着臉，叉手躬身，皈依大道；夜來收拾燒着香，虔心叩齒，念的彌陀。舉頭看見佛，蓮九品，秇三乘，慈航共法雲，願見祇園釋世尊；低頭看見心，受五戒，度大千，生生萬法中，願

悟頑空與色空。諸檀越來啊，老的、小的、長的、矮的、胖的、瘦的，一個個敲木魚，擊金磬，挨挨拶拶，兩卷《法華經》，一策《梁王懺》；諸檀越不來啊，新的、舊的、生的、熟的、村的、俏的，一個個合着掌，瞑着目，悄悄冥冥，入定蒲團上，牢關月下門。一任他鶯啼鳥語閑爭鬥，不上我方便慈悲大法乘。因此上，也不會伏虎，也不會降龍；也不識的怪，也不識的精。你老爺若還惹起那妖魔啊，我百十個和尚衹够他齋一飽：一則墮落我衆生輪回；二則滅抹了這禪林古蹟；三則如來會上，全没半點兒光輝。——這却是好些兒不便處。』

行者聞得衆和尚說出這一端的話語，他便怒從心上起，惡向膽邊生，高叫一聲『你這衆和尚好呆哩！衹曉得那妖精，就不曉得我老孫的行止麽？』衆僧輕輕的答道：『實不曉得。』行者道：『我今日略節說說，你們聽着：

我也曾花果山伏虎降龍，我也曾上天堂大鬧天宮。飢時把老君的丹，略略咬了兩三顆；渴時把玉帝的酒，輕輕嚀了六七盅。睁着一雙不白不黑的金睛眼，天慘淡，月朦朧；拿着一條不短不長的金箍棒，來無影，去無踪。說甚麽大精小怪，那怕他憊懶朧膿！一趕趕上去，跑的跑，顫的顫，躲的躲，慌的慌；一捉捉將來，銼的銼，燒的燒，磨的磨，舂的舂。正是八仙同過海，獨自顯神通！——衆和尚，我拿這妖精與你看看，你才認得我老孫！』

衆僧聽着，暗點頭道：『這賊禿開大口，說大話，想是有些來歷。』都一個個諾諾連聲。衹有那喇嘛僧道：『且住！你老師父貴恙，你拿這妖精不至緊。俗語道：「公子登筵，不醉便飽，壯士臨陣，不死即傷。」你兩下裏角鬥之時，倘貽累你師父，不當穩便。』行者道：『有理！有理！我且送涼水與師父吃了再來。』掇起鉢盂，着上涼水，轉出香積厨，就到方丈，叫聲『師父，吃涼水哩。』

三藏正當煩渴之時，便抬起頭來，捧着水，只是一吸。真個『渴時一滴如甘露，藥到真方病即除。』行者見長老精神漸爽，眉目舒開，就問道：『師父，可吃些湯飯麽？』三藏道：『這涼水就是靈丹一般，我病兒減了一半，有湯飯也吃得些。』行者連聲高叫道：『我師父好了，要湯飯吃哩。』教那些和尚忙忙的安排。淘米，煮飯，捍面，

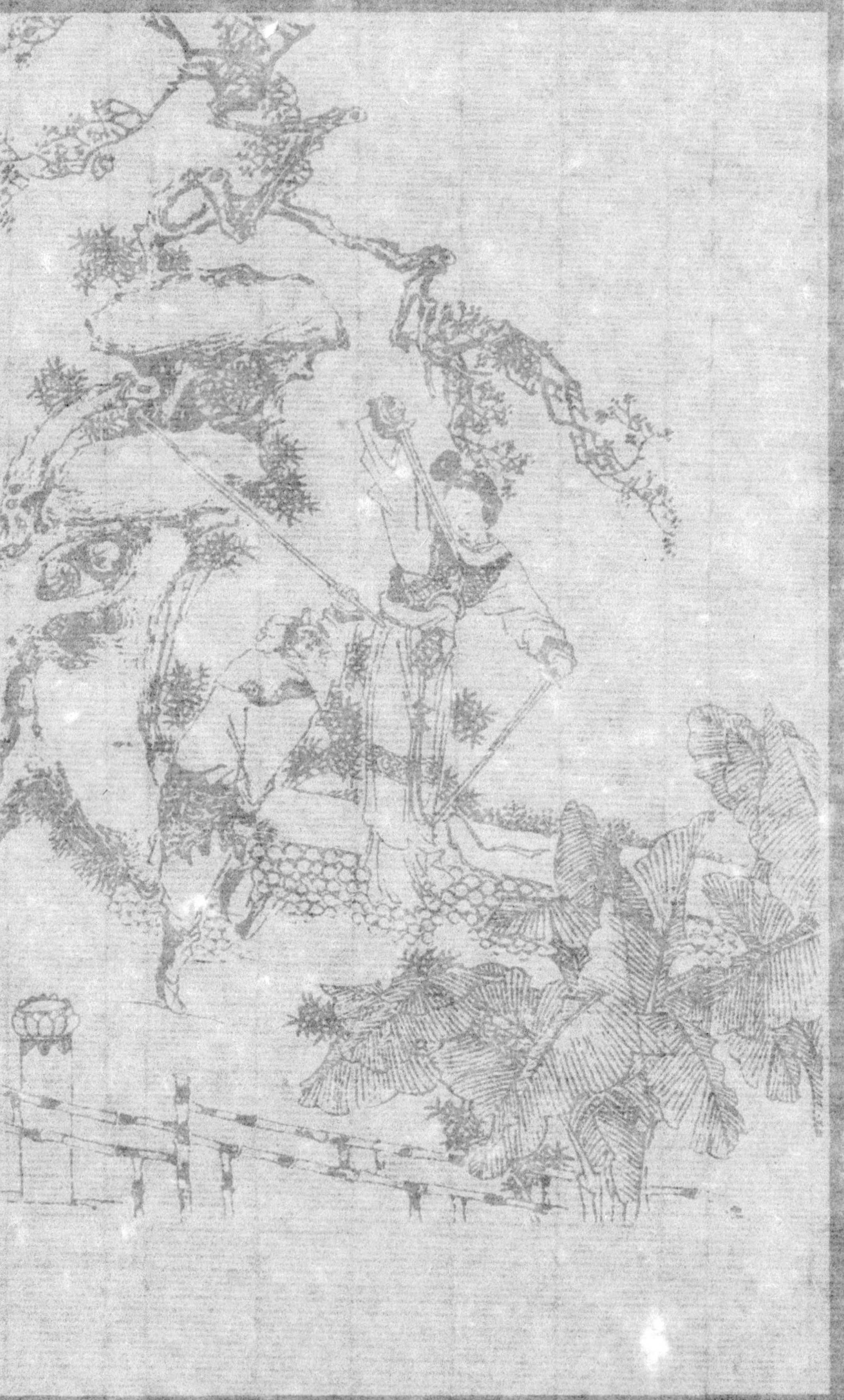

烙餅，蒸饃饃，做粉湯，抬了四五桌。唐僧衹吃得半碗兒米湯。行者、沙僧止用了一席。其餘的都是八戒一肚餐之。傢火收去，點起燈來，衆僧各散。

三藏道：『我們今住幾日了？』行者道：『三整日矣。明朝向晚，便就是四個日頭。』三藏道：『三日誤了許多路程。』行者道：『師父，也算不得路程，明日去罷。』三藏道：『正是。就帶幾分病兒，也没奈何。』行者道：『既是明日要去，且讓我今晚捉了妖精者。』三藏驚道：『又捉甚麽妖精？』行者道：『有個妖精在這寺裏，等老孫替他捉捉。』唐僧道：『徒弟呀，我的病身未可，你怎麽又興此念！倘那怪有神通，你拿他不住啊，却又不是害我？』行者道：『你好滅人威風！老孫到處降妖，你見我弱與誰的？只是不動手，動手就要贏。』三藏扯住道：『徒弟，常言説得好，「遇方便時行方便，得饒人處且饒人。」操心怎似存心好，争氣何如忍氣高！』孫大聖見師父苦苦勸他，不許降妖，他説出老實話來道：『師父，實不瞞你説。那妖在此吃了人了。』唐僧大驚道：『吃了甚麽人？』行者説道：『我們住了三日，已是吃了這寺裏六個小和尚了。』長老道：『「兔死狐悲，物傷其類。」他既吃了寺内之僧，我亦僧也，我放你去，衹但用心仔細些。』行者道：『不消説。老孫的手到就消除了。』

你看他燈光前吩咐八戒、沙僧看守師父，他喜孜孜跳出方丈，徑來佛殿看時，天上有星，月還未上，那殿裏黑暗暗的。他就吹出真火，點起琉璃，東邊打鼓，西邊撞鐘。響罷，摇身一變，變做個小和尚兒，年紀衹有十二三歲，披着黄絹褊衫，白佈直裰，手敲着木魚，口裏念經。等到一更時分，不見動静。二更時分，殘月才昇，衹聽見呼呼的一陣風響。好風：

黑霧遮天暗，愁雲照地昏。四方如潑墨，一派靛妝渾。先颳時揚塵播土，次後來倒樹摧林。揚塵播土星光現，倒樹摧林月色昏。只颳得嫦娥緊抱梭羅樹，玉兔團團找藥盆。九曜星官皆閉户，四海龍王盡掩門。廟裏城隍覓小鬼，空中仙子怎騰雲？地府閻羅尋馬面，判官亂跑趕頭巾。颳動昆侖頂上石，捲得江湖波浪混。

那風才然過處，猛聞得蘭麝香熏，環珮聲響，即欠身抬頭觀看，呀！却是一個美貌佳人，徑上佛殿。行者口裏嗚哩嗚喇，衹情念經。那女子走近前，一把摟住道：『小長老，念的甚麽經？』行者道：『許下的。』女子道：『别人都自在睡覺，你還念經怎麽？』行者道：『許下的，如何不念？』女子摟住，與他親個嘴道：『我與你到後面要要去。』行者故意的扭過頭去道：『你有些不曉事！』女子道：『你會相面？』行者道：『也曉得些兒。』女子道：『你相我怎的樣子？』行者道：『我相你有些兒偷生抿熟，被公婆趕出來的。』女子道：『相不着！相不着！我

不是公婆趕逐，不因抿熟偷生。奈我前生命薄，投配男子年輕。不會洞房花燭，避夫逃走之情。

趁如今星光月皎，也是有緣千里來相會，我和你到後園中交歡配鸞儔去也。』行者聞言，暗點頭道：『那幾個愚僧，都被色欲引誘，所以傷了性命。他如今也來哄我。』就隨口答應道：『娘子，我出家人年紀尚幼，却不知甚麽交歡之事。』女子道：『你跟我去，我教你。』行者暗笑道：『也罷，我跟他去，看他怎生擺佈。』

他兩個摟着肩，携着手，出了佛殿，徑至後邊園裏。那怪把行者使個絆子腿，跌倒在地。口裏『心肝哥哥』的亂叫，將手就去掐他的臊根。行者道：『我的兒，真個要吃老孫哩！』却被行者接住他手，使個小坐跌法，把那怪一轆轤掀翻在地上。那怪口裏還叫道：『心肝哥哥，你倒會跌你的娘哩！』行者暗算道：『不趁此時下手他，還到幾時！正是「先下手爲强，後下手遭殃。」』就把手一叉，腰一躬，一跳跳起來，現出原身法像，輪起金箍鐵棒，劈頭就打。那怪倒也吃了一驚。他心想道：『這個小和尚，這等利害！』打開眼一看，原來是那唐長老的徒弟姓孫的。他也不懼他。你説這精怪是甚麽精怪：

金作鼻，雪鋪毛。地道爲門屋，安身處處牢。養成三百年前氣，曾向靈山走幾遭。一飽香花和蠟燭，如來吩咐下天曹。托塔天王恩愛女，哪吒太子認同胞。也不是個填海鳥，也不是個戴山鰲。也不怕的雷焕劍，也不怕的呂虔刀。往往來來，一任他水流江漢闊；上上下下，那論他山聳泰恒高？你看他月貌花容嬌滴滴，誰識得是個鼠

老成精逞點豪！

他自恃的神通廣大，便隨手架起雙股劍，玎玎璫璫的響，左遮右格，隨東倒西。行者雖强些，却也撈他不倒。陰風四起，殘月無光。你看他兩個，後園中一場好殺：

陰風從地起，殘月蕩微光。闃静梵王宇，闌珊小鬼廊。後園裏一片戰爭場：孫大士，天上聖；毛奼女，女中王；賭賽神通未肯降。一個兒扭轉芳心嗔黑禿，一個兒圓睁慧眼恨新妝。兩手劍飛，那認得女菩薩；一根棍打，狠似個活金剛。響處金箍如電掣，霎時鐵白耀星芒。玉樓抓翡翠，金殿碎鴛鴦。猿啼巴月小，雁叫楚天長。十八尊羅漢，暗暗喝采；三十二諸天，個個慌張。

那孫大聖精神抖擻，棍兒没半點差池。妖精自料敵他不住，猛可的眉頭一蹙，計上心來，抽身便走。行者喝道：『潑貨！那走！快快來降！』那妖精只是不理，直往後退。等行者趕到緊急之時，即將左脚上花鞋脱下來，吹口仙氣，念個咒語，叫一聲『變！』就變做本身模樣，使兩口劍舞將來，真身一幌，化陣清風而去。這却不是三藏的灾星？他便徑撞到方丈裏，把唐三藏攝將去雲頭上，杳杳冥冥，霎霎眼，就到了陷空山，進了無底洞，叫小的們安排素筵席成親不題。

却説行者鬥得心焦性燥，閃一個空，一棍把那妖精打落下來，乃是一隻花鞋。行者曉得中了他計，連忙轉身來看師父。那有個師父？祇見那呆子和沙僧口裏嗚哩嗚哪説甚麽。行者怒氣填胸，也不管好歹，撈起棍來一片打，連聲叫道：『打死你們！打死你們！』那呆子慌得走也没路，沙僧却是個靈山大將，見得事多，就軟款温柔，近前跪下道：『兄長，我知道了。想你要打殺我兩個，也不去救師父，徑自回家去哩。』行者道：『我打殺你兩個，我自去救他！』沙僧笑道：『兄長説那裏話！無我兩個，真是「單絲不綫，孤掌難鳴」。兄啊，這行囊、馬匹，誰與看顧？寧學管鮑分金，休倣孫龐鬥智。自古道：「打虎還得親兄弟，上陣須教父子兵。」望兄長且饒打，待天明和你同心戮力，尋師去也。』

行者雖是神通廣大，却也明理識時。見沙僧苦苦哀告，便就回心道：『八戒，沙僧，你都起來。明日找尋師父，却要用力。』那呆子聽見饒了，恨不得天也許下半邊，道：『哥啊，這個都在老猪身上。』兄弟們思思想想，那曾得睡，恨不得點頭喚出扶桑日，一口吹散滿天星。

三衆祇坐到天曉，收拾要行，早有寺僧攔門來問：『老爺那裏去？』行者笑道：『不好説。昨日對衆誇口，説與他們拿妖精，妖精未曾拿得，倒把我個師父不見了。我們尋師父去哩。』衆僧害怕道：『老爺，小可的事，倒帶累老師；却往那裏去尋？』行者道：『有處尋他。』衆僧忙道：『既去莫忙，且吃些早齋。』連忙的端了兩三盆湯飯。八戒盡力吃個乾净，道：『好和尚！我們尋着師父，再到你這裏來耍子。』行者道：『還到這裏吃他飯哩！你去天王殿裏看看那女子在否。』衆僧道：『老爺，不在了，不在了。自是當晚宿了一夜，第二日就不見了。』

行者喜喜歡歡的辭了衆僧，着八戒、沙僧牽馬挑擔，徑回東走。八戒道：『哥哥差了。怎麽又往東行？』行者道：『你豈知道！前日在那黑松林綁的那個女子，老孫火眼金睛，把他認透了，你們都認做好人。今日吃和尚的也是他，攝師父的也是他！你們救得好女菩薩！今既攝了師父，還從舊路上找尋去也。』二人嘆服道：『好，好，好！真是粗中有細！去來！去來！』

三人急急到于林内，祇見那：

雲藹藹，霧漫漫；石層層，路盤盤。狐踪兔跡交加走，虎豹豺狼往復鑽。林内更無妖怪影，不知三藏在何端。

行者心焦，掣出棒來，摇身一變，變作大鬧天宮的本相，三頭六臂，六隻手，理着三根棒，在林裏辟哩撥喇的亂打。八戒見了道：『沙僧，師兄着了惱，尋不着師父，弄做個氣心風了。』原來行者打了一路，打出兩個老頭兒來，一個是山神，一個是土地。上前跪下道：『大聖，山神、土地來見。』八戒道：『好靈根啊！打了一路，打出兩個山神、

土地；若再打一路，連太歲都打出來也。』行者問道：『山神、土地，汝等這般無禮！在此處專一結伙强盜，强盜得了手，買些猪羊祭賽你，又與妖精結擄，打伙兒把我師父攝來！如今藏在何處？快快的從實供來，免打！』二神慌了道：『大聖錯怪了我耶。妖精不在小神山上，不伏小神管轄。但祇夜間風響處，小神略知一二。』行者道：『既知，一一說來！』土地道：『那妖精攝你師父去，在那正南下，離此有千里之遥。那厢有座山，喚做陷空山。山中有個洞，叫做無底洞。是那山裏妖精，到此變化攝去也。』行者聽言，暗自驚心，喝退了山神、土地，收了法身，現出本相，與八戒、沙僧道：『師父去得遠了。』八戒道：『遠便騰雲趕去！』

好呆子，一縱狂風先起，隨後是沙僧駕雲。那白馬原是龍子出身，馱了行李，也踏了風霧。大聖即起筋斗，一直南來。不多時，早見一座大山，阻住雲脚。三人采住馬，都按定雲頭。見那山：

頂摩碧漢，峰接青霄。周圍雜樹萬萬千，來往飛禽喳喳噪。虎豹成陣走，獐鹿打叢行。向陽處，琪花瑶草馨香；背陰方，臘雪頑冰不化。崎嶇峻嶺，削壁懸崖。直立高峰，灣環深澗。松鬱鬱，石磷磷，行人見了悚其心。打柴樵子全無影，采藥仙童不見踪。眼前虎豹能興霧，遍地狐狸亂弄風。

八戒道：『哥啊，這山如此險峻，必有妖邪。』行者道：『不消說了。「山高原有怪，嶺峻豈無精！」』叫：『沙僧，我和你且在此，着八戒先下山凹裏打聽打聽，看那條路好走，端的可有洞府，再看是那裏開門，俱細細打探，我們好一齊去尋師父救他。』八戒道：『老猪晦氣！先拿我頂缸！』行者道：『你夜來說都在你身上，如何打仰？』八戒道：『不要嚷，等我去。』呆子放下鈀，抖抖衣裳，空着手，跳下高山，找尋路徑。

這一去，畢竟不知好歹如何，且聽下回分解。

總批：

人試思之，陷空山、無底洞是恁麼東西？若想得着，定是大笑，又大哭也。

第八十二回 姹女求陽 元神護道

却說八戒跳下山，尋着一條小路。依路前行，有五六里遠近，忽見兩個女怪，在那井上打水。他怎麼認得是兩個女怪？見他頭上戴一頂一尺二三寸高的篾絲鬏髻，甚不時興。呆子走近前，叫聲『妖怪。』那怪聞言大怒，兩人互相說道：『這和尚憊懶！我們又不與他相識，平時又没有調得嘴慣，他怎麼叫我們做妖怪！』那怪惱了，輪起抬水的杠子，劈頭就打。

這呆子手無兵器，遮架不得，被他撈了幾下，侮着頭跑上山來道：『哥啊，回去罷！妖怪兇！』行者道：『怎麼兇？』八戒道：『山凹内兩個女妖精在井上打水，我祇叫了他一聲，就被他打了我三四杠子！』行者道：『你叫他做甚麼的？』八戒道：『我叫他做妖怪。』行者笑道：『打得還少。』八戒道：『謝你照顧！頭都打腫了，還說少哩！』行者道：『「温柔天下去得，剛强寸步難移。」他們是此地之妖，我們是遠來之僧，你一身都是手，也要略温存。你就去叫他做妖怪，他不打你，打我？「人將禮樂爲先。」』八戒道：『一發不曉得！』行者道：『你自幼在山中吃人，你曉得有兩樣木麼？』八戒道：『不知。是甚麼木？』行者道：『一樣是楊木，一樣是檀木。楊木性格甚軟，巧匠取來，或雕聖像，或刻如來，裝金立粉，嵌玉裝花，萬人燒香禮拜，受了多少無量之福。那檀木性格剛硬，油房裏取了去，做榨撒，使鐵箍箍了頭，又使鐵錘往下打，祇因剛强，所以受此苦楚。』八戒道：『哥啊，你這好話兒，早與我說說也好，却不受他打了。』行者道：『你還去問他端的。』八戒道：『這去他認得我了。』行者道：『你變化了去。』八戒道：『哥啊，且如我變了，却怎麼問麽？』行者道：『你變了去，到他跟前，行了禮兒，看他多大年紀，若與我們差不多，叫他聲「姑娘」；若比我們老些兒，叫他聲「奶奶」。』八戒笑道：『可是蹭蹬！這般許遠的田地，認得是甚麼親！』行者道：『不是認親，要套他的話哩。若是他拿了師父，就好下手；若不是他，却不誤了我們别處幹事？』八戒道：『說得有理，等我再去。』

好呆子，把釘鈀撒在腰裏，下山凹，搖身一變，變做個黑胖和尚。搖搖擺擺，走近怪前，深深唱個大喏道：「奶奶，貧僧稽首了。」那兩個喜道：「這個和尚却好，會唱個喏兒，又會稱道一聲兒。」問道：「長老，那裏來的？」八戒道：「那裏來的。」又問：「那裏去的？」又道：「那裏去的。」又問：「你叫做甚麼名字？」又答道：「我叫做甚麼名字。」那怪笑道：「這和尚好便好，只是没來歷，會説順口話兒。」八戒道：「奶奶，你們打水怎的？」那怪道：「和尚，你不知道。我家老夫人今夜裏攝了一個唐僧在洞內，要管待他，我洞中水不乾净，差我兩個來此打這陰陽交媾的好水，安排素果素菜的筵席，與唐僧吃了，晚間要成親哩。」

那呆子聞得此言，急抽身跑上山叫：「沙和尚，快拿將行李來，我們分了罷！」沙僧道：「二哥，又分怎的？」八戒道：「分了便你還去流沙河吃人，我去高老莊探親，哥哥去花果山稱聖，白龍馬歸大海成龍。師父已在這妖精洞內成親哩！我們都各安生理去也！」行者道：「這呆子又胡説了！」八戒道：「你的兒子胡説！才那兩個抬水的妖精説，安排素筵席與唐僧吃了成親哩！」行者道：「那妖精把師父困在洞內，師父眼巴巴的望我們去救，你却在此説這樣話！」八戒道：「怎麼救？」行者道：「你兩個牽着馬，挑着擔，我們跟着那兩個女怪，做個引子，引到那門前，一齊下手。」

真個呆子只得隨行。行者遠遠的標着那兩怪，漸入深山，有一二十里遠近，忽然不見。八戒驚道：「師父是日裏鬼拿去了！」行者道：「你好眼力！怎麼就看出他本相來？」八戒道：「那兩個怪，正抬着水走，忽然不見，却不是個日裏鬼？」行者道：「想是鑽進洞去了。等我去看。」

好大聖，急睁火眼金睛，漫山看處，果然不見動静。衹見那陡崖前，有一座玲瓏剔透細妝花，堆五采，三檐四簇的牌樓。他與八戒、沙僧近前觀看，上有六個大字，乃「陷空山無底洞」。行者道：「兄弟呀，這妖精把個架子支在這裏，還不知門向那裏開哩。」沙僧説：「不遠！不遠！好生尋！」都轉身看時，牌樓下，山脚下有一塊大石，約有十餘裏方圓；正中間有缸口大的一個洞兒，爬得光溜溜的。八戒道：「哥啊，這就是妖精出入洞也。」行者看了道：「怪哉！我老孫自保唐僧，瞞不得你兩個，妖精也拿了些，却不見這樣洞府。八戒，你先下去試試，看有多少淺深，我好進去救師父。」八戒搖頭道：「這個難！這個難！我老豬身子夯夯的，若塌了脚吊下去，不知二三年可得到底哩！」行者道：「就有多深麼？」八戒道：「你看！」大聖伏在洞邊上，仔細往下看處，咦！深啊！周圍足有三百餘裏，回頭道：「兄弟，果然深得緊！」八戒道：「你便回去罷。師父救不得耶！」行者道：「你説那裏話！『莫生懶惰意，休起怠荒心。』且將行李歇下，把馬拴在牌樓柱上，你使釘鈀，沙僧使杖，攔住洞門，讓我進去打聽打聽。若師父果在裏面，我將鐵棒把妖精從裏打出，跑至門口，你兩個却在外面擋住：這是裏應外合。打死精靈，才救得師父。」二人遵命。

行者却將身一縱，跳入洞中，足下彩雲生萬道，身邊瑞氣護千層。不多時，到于深遠之間，那裏邊明明朗朗，一般的有日色，有風聲，又有花草果木。行者喜道：「好去處啊！想老孫出世，天賜與水簾洞，這裏也是個洞天福地！」正看時，又見有一座二滴水的門樓，團團都是松竹，內有許多房舍。又想道：「此必是妖精的住處了。我且到那裏邊去打聽打聽。——且住！若是這般去啊，他認得我了，且變化了去。」摇身捻訣，就變做個蒼蠅兒，輕輕的飛在門樓上聽聽。衹見那怪高坐在草亭內。他那模樣，比在松林裏救他，寺裏拿他，便是不同，越發打扮得俊了：

發盤雲髻似堆鴉，身着綠絨花比甲。一對金蓮剛半折，十指如同春笋發。團團粉面若銀盆，朱唇一似櫻桃滑。端端正正美人姿，月裏嫦娥還喜恰。今朝拿住取經僧，便要歡娛同枕榻。

行者且不言語，聽他説甚話。少時，綻破櫻桃，喜孜孜的叫道：「小的們，快排素筵席來，我與唐僧哥哥吃了成親。」行者暗笑道：「真個有這話！我衹道八戒作耍子亂説哩！等我且飛進去尋尋，看師父在那裏。不知他的心性如何。假若被他摩弄動了啊，留他在這裏也罷。」即展翅，飛到裏邊看處，那東廊下上明下暗的紅紙格子裏面，坐着唐僧哩。

行者一頭撞破格子眼，飛在唐僧光頭上丁着，叫聲『師父。』三藏認得聲音，叫道：『徒弟，救我命啊！』行者道：『師父不濟呀！那怪精安排筵宴，與你吃了成親哩。或生下一男半女，也是你和尚之後代，你愁怎的？』長老聞言，咬牙切齒道：『徒弟，我自出了長安，到兩界山中收你，一向西來，那個時辰動葷？那一日子有甚歪意？今被這妖精拿住，要求配偶，我若把真陽喪了，我就身墮輪回，打在那陰山背後，永世不得翻身！』行者笑道：『莫發誓。既有真心往西天取經，老孫帶你去罷。』三藏道：『進來的路兒，我通忘了。』行者道：『莫說你忘了。他這洞，不比走進來走出去的，是打上頭往下鑽。如今救了你，要打底下往上鑽。若是造化高，鑽着洞口兒，就出去了；若是造化低，鑽不着，還有個悶殺的日子了。』三藏滿眼垂泪道：『似此艱難，怎生是好？』行者道：『没事！没事！那妖精整治酒與你吃，没奈何，也吃他一鐘；衹要斟得急些兒，斟起一個喜花兒來，等我變作個蟭蟟蟲兒，飛在酒泡之下，他把我一口吞下肚去，我就捻破他的心肝，扯斷他的肺腑，弄死那妖精，你才得脱身出去。』三藏道：『徒弟，這等說，只是不當人子。』行者道：『衹管行起善來，你命休矣。妖精乃害人之物，你惜他怎的！』三藏道：『也罷，也罷；你只是要跟着我。』正是那孫大聖護定唐三藏，取經僧全靠着美猴王。

他師徒兩個，商量未定，早是那妖精安排停當，走近東廊外，開了門鎖，叫聲『長老。』唐僧不敢答應。又叫一聲，又不敢答應。他不敢答應者何意？想着『口開神氣散，舌動是非生。』却又一條心兒想着，若死住法兒不開口，怕他心狠，頃刻間就害了性命。正是那：進退兩難心問口，三思忍耐口問心。正自狐疑，那怪又叫一聲『長老。』唐僧没奈何，應他一聲道：『娘子，有。』那長老應出這一句言來，真是肉落千斤。人都說唐僧是個真心的和尚，往西天拜佛求經，怎麽與這女妖精答話？不知此時正是危急存亡之秋，萬分出于無奈，雖是外有所答，其實内無所欲。

妖精見長老應了一聲，他推開門，把唐僧攙起來，和他携手挨肩，交頭接耳，你看他做出那千般嬌態，萬種風情。豈知三藏一腔子煩惱。行者暗中笑道：『我師父被他這般哄誘，只怕一時動心。』正是：

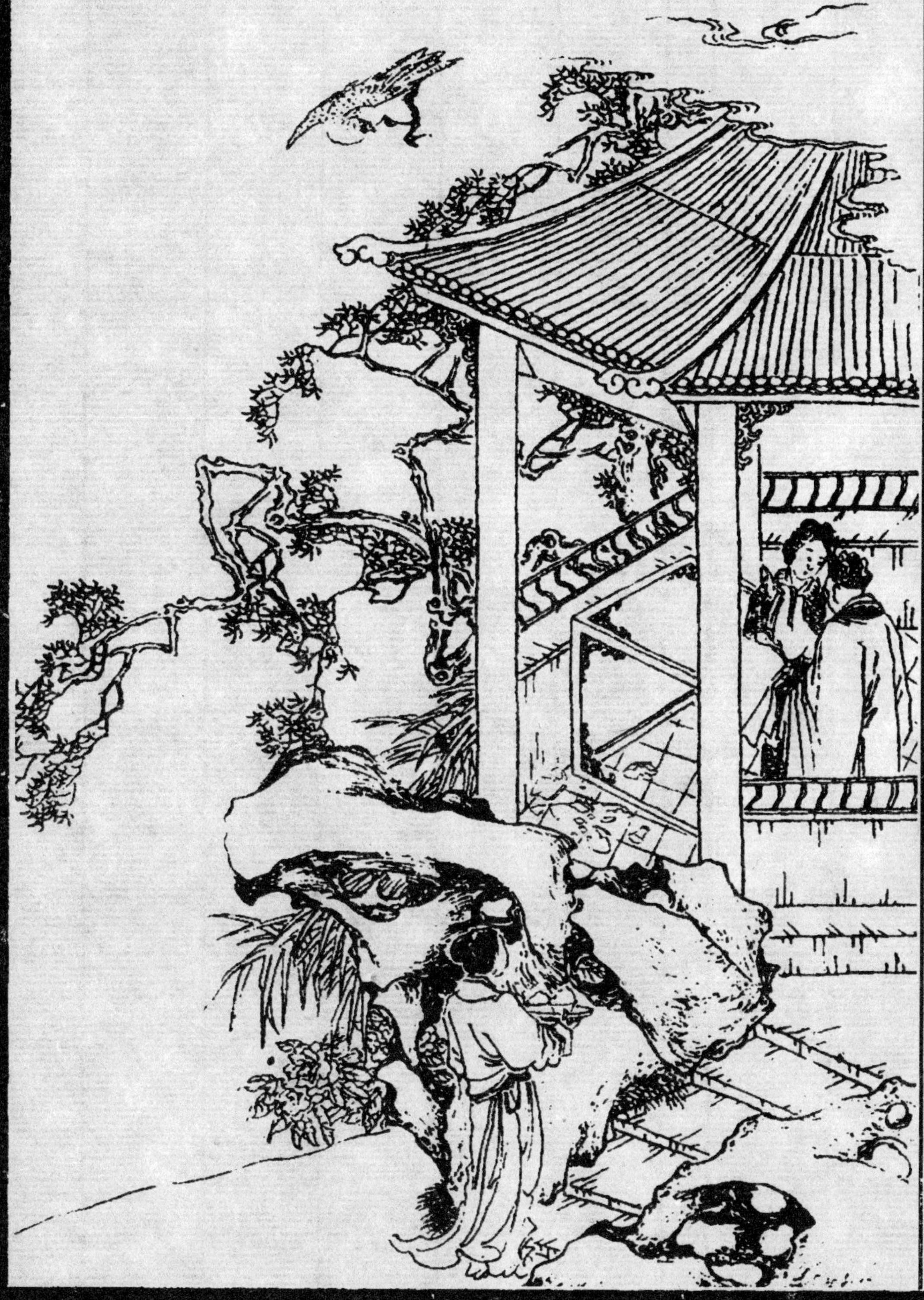

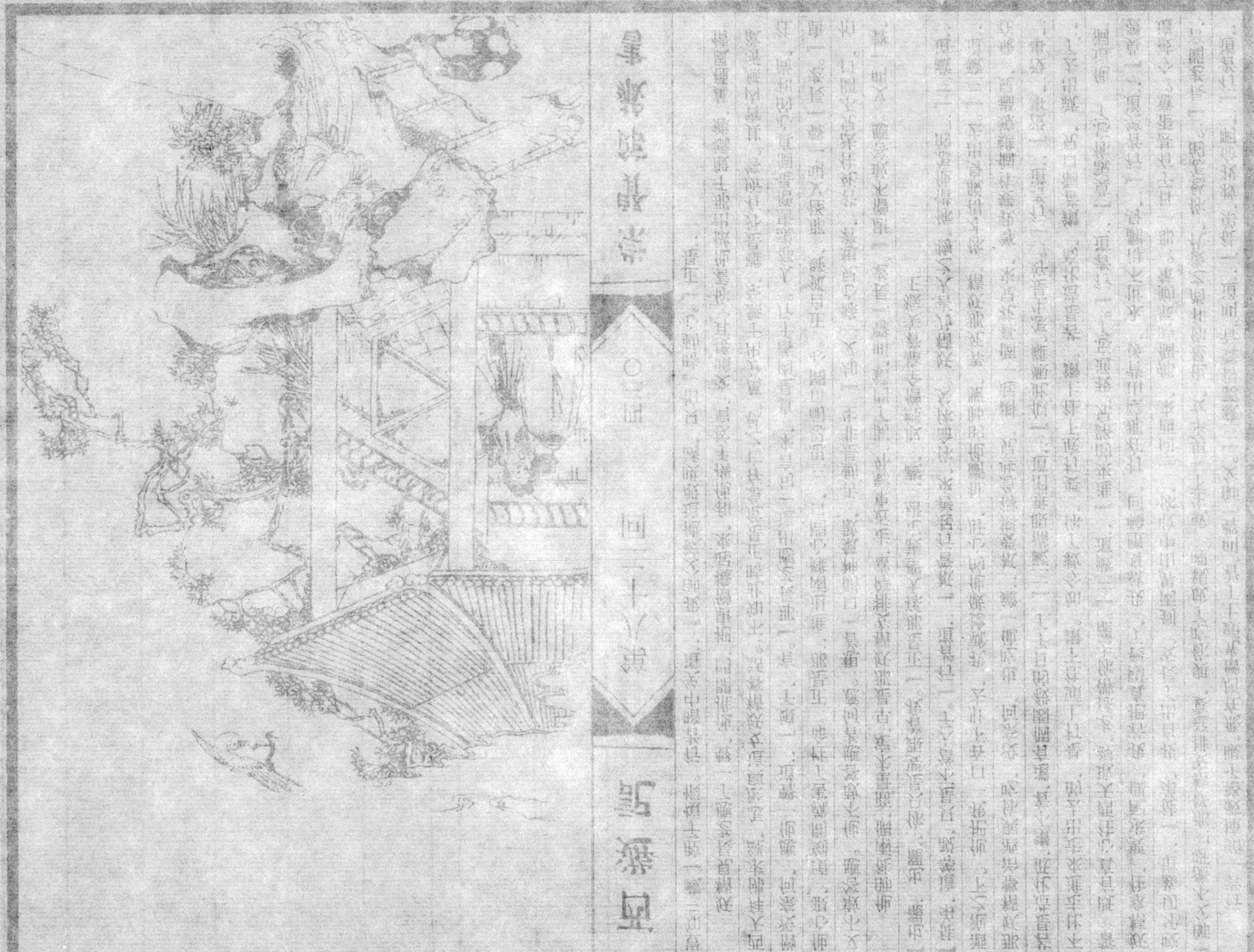

真僧魔苦遇嬌娃，妖怪娉婷實可誇。淡淡翠眉分柳葉，盈盈丹臉襯桃花。綉鞋微露雙鉤鳳，雲髻高盤兩鬢鴉。含笑與師携手處，香飄蘭麝滿袈裟。

妖精挽着三藏，行近草亭道：『長老，我辦了一杯酒，和你酌酌。』唐僧道：『娘子，貧僧自不用葷。』妖精道：『我知你不吃葷，因洞中水不潔凈，特命山頭上取陰陽交媾的净水，做些素果素菜筵席，和你耍子。』唐僧跟他進去觀看，果然見那：

盈門下，綉纏綵結；滿庭中，香噴金猊。擺列着黑油壘鈿桌，朱漆篾絲盤。壘鈿桌上，有異樣珍饈；篾絲盤中，盛稀奇素物。林檎、橄欖、蓮肉、葡萄、榧、柰、榛、松、荔枝、龍眼、山栗、風菱、棗兒、柿子、胡桃、銀杏、金橘、香橙，果子隨山有；蔬菜更時新：豆腐、麵筋、木耳、鮮笋、蘑菇、香蕈、山藥、黄精。石花菜、黄花菜，青油煎炒；扁豆角、江豆角，熟醬調成。王瓜、瓠子，白菜、蔓菁。鏇皮茄子鵪鶉做，剔種冬瓜方旦名。爛煨芋頭糖拌着，白煮蘿卜醋澆烹。椒薑辛辣般般美，鹹淡調和色色平。

那妖精露尖尖之玉指，捧晃晃之金杯，滿斟美酒，遞與唐僧，口裏叫道：『長老哥哥，妙人，請一杯交歡酒兒。』三藏羞答答的，接了酒，望空澆奠，心中暗祝道：『護法諸天、五方揭諦、四值功曹：弟子陳玄奘，自離東土，蒙觀世音菩薩差遣列位衆神暗中保護，拜雷音，見佛求經。今在途中，被妖精拿住，强逼成親，將這一杯酒遞與我吃。此酒果是素酒，弟子勉强吃了，還得見佛成功；若是葷酒，破了弟子之戒，永墮輪回之苦！』孫大聖，他却變得輕巧，在耳根後，若像一個耳報；但他説話，惟三藏聽見，别人不聞。他知師父平日好吃葡萄做的素酒，教他吃一鐘。那師父没奈何吃了，急將酒滿斟一鐘，回與妖怪。果然斟起有一個喜花兒。行者變作個蟭蟟蟲兒，輕輕的飛入喜花之下。那妖精接在手，且不吃，把杯兒放住，與唐僧拜了兩拜，口裏嬌嬌怯怯，叙了幾句情話。却纔舉杯，那花兒已散，就露出蟲來。妖精也認不得是行者變的，衹以爲蟲兒，用小指挑起，往下一彈。

行者見事不諧，料難入他腹，即變做個餓老鷹。真個是：

玉爪金睛鐵翮，雄姿猛氣摶雲。妖狐狡兔見他忙，千里山河時遁。飢處迎風逐雀，飽時高貼天門。老拳鋼硬最傷人，得志凌霄嫌近。

飛起來，輪開玉爪，響一聲掀翻桌席，把些素果素菜，盤碟傢火，盡皆摔碎，撇却唐僧，飛將出去。唬得妖精心膽皆裂，唐僧的骨肉通酥。妖精戰戰兢兢，摟住唐僧道：『長老哥哥，此物是那裏來的？』三藏道：『貧僧不知。』妖精道：『我費了許多心，安排這個素宴與你耍耍，却不知這個扁毛畜生，從那裏飛來，把我的傢火打碎！』衆小妖道：『夫人，打碎傢火猶可，將些素品都潑散在地，穢了怎用？』三藏分明曉得是行者弄法，他那裏敢説。那妖精道：『小的們，我知道了。想必是我把唐僧困住，天地不容，故降此物。你們將碎傢火拾出去，另安排些酒肴，不拘葷素，我指天爲媒，指地作訂，然後再與唐僧成親。』依然把長老送在東廊裏坐下不題。

却説行者飛出去，現了本相，到于洞口，叫聲『開門！』八戒笑道：『沙僧，哥哥來了。』他二人撒開兵器。行者跳出，八戒上前扯住道：『可有妖精？可有師父？』行者道：『有！有！有！』八戒道：『師父在裏邊受罪哩？綁着是捆着？要蒸是要煮？』行者道：『這個事倒没有，只是安排素宴，要與他幹那個事哩。』八戒道：『你造化！你造化！你吃了陪親酒來了！』行者道：『呆子啊！師父的性命也難保，吃甚麽陪親酒！』八戒道：『你怎的就來了？』行者把見唐僧施變化的上項事説了一遍，道：『兄弟們，再休胡思亂想。師父已在此間，老孫這一去，一定救他出來。』

復翻身入裏面，還變做個蒼蠅兒，丁在門樓上聽之。衹聞得這妖怪氣呼呼的，在亭子上吩咐：『小的們，不論葷素，拿來燒紙。借煩天地爲媒訂，務要與他成親。』行者聽見，暗笑道：『這妖精全没一些兒廉耻！青天白日的，把個和尚關在家裏擺佈。且不要忙，等老孫再進去看看。』嚶的一聲，飛在東廊之下，見那師父坐在裏邊，清滴滴

腮邊淚淌。行者鑽將進去，丁在他頭上，又叫聲『師父。』長老認得聲音，跳起來，咬牙恨道：『猢猻啊！別人膽大，還是身包膽；你的膽大，就是膽包身！你弄變化神通，打破傢火，能值幾何！鬥得那妖精淫興發了，那裏不分葷素安排，定要與我交媾，此事怎了！』行者暗中陪笑道：『師父莫怪，有救你處。』唐僧道：『那裏救得我？』行者道：『我纔一翅飛起去時，見他後邊有個花園。你哄他往園裏去耍子，我救了你罷。』唐僧道：『園裏怎麼樣救？』行者道：『你與他到園裏，走到桃樹邊，就莫走了。等我飛上桃枝，變作個紅桃子。你要吃果子，先揀紅的兒摘下來。紅的是我。他必然也要摘一個，你把紅的定要讓他。他若一口吃了，我却在他肚裏，等我搗破他的皮袋，扯斷他的肝腸，弄死他，你就脱身了。』三藏道：『你若有手段，就與他賭鬥便了；祗要鑽在他肚裏怎麼？』行者道：『師父，你不知趣。他這個洞，若好出入，便可與他賭鬥，祗爲出入不便，曲道難行，若就動手，他這一窩子，老老小小，連我都扯住，却怎麼了？須是這般捽手幹，大家才得乾净。』三藏點頭聽信，祗叫：『你跟定我。』行者道：『曉得，曉得！我在你頭上。』

師徒們商量定了，三藏才欠起身來，雙手扶着那格子，叫道：『娘子，娘子。』那妖精聽見，笑唏唏的跑近跟前道：『妙人哥哥，有甚話説？』三藏道：『娘子，我出了長安，一路西來，無日不山，無日不水。昨在鎮海寺投宿，偶得傷風重疾，今日出了汗，略才好些；又蒙娘子盛情，携入仙府，只得坐了這一日，又覺心神不爽。你帶我往那裏略散散心，要耍兒去麼？』那妖精十分歡喜道：『妙人哥哥倒有些興趣。我和你去花園裏耍耍。』叫：『小的們，拿鑰匙來開了園門，打掃路徑。』衆妖都跑去開門收拾。

這妖精開了格子，攙出唐僧。你看那許多小妖，都是油頭粉面，裊娜娉婷，簇簇擁擁，與唐僧徑上花園而去。好和尚！他在這綺羅隊裏無他故，錦綉叢中作啞聾。若不是這鐵打的心腸朝佛去，第二個酒色凡夫也取不得經。一行都到了花園之外。那妖精俏語低聲叫道：『妙人哥哥，這裏要耍，真可散心釋悶。』唐僧與他携手相攙，同入

園内，抬頭觀看，其實好個去處。但見那：

縈回曲徑，紛紛盡點蒼苔；窈窕綺窗，處處暗籠綉箔。微風初動，輕飄飄展開蜀錦吴綾；細雨才收，嬌滴滴露出冰肌玉質。日灼鮮杏，紅如仙子曬霓裳；月映芭蕉，青似太真摇羽扇。粉墻四面，萬株楊柳囀黄鸝；閑館周圍，滿院海棠飛粉蝶。更看那凝香閣、青蛾閣、解酲閣、相思閣，層層捲映，朱簾上，鉤控蝦鬚；又見那養酸亭、披素亭、畫眉亭、四雨亭，個個峥嶸，華扁上，字書鳥篆。看那浴鶴池、洗觴池、怡月池、濯纓池，青萍緑藻耀金鱗；又有墨花軒、异箱軒、適趣軒、慕雲軒，玉円瓊卮浮緑蟻。池亭上下，有太湖石、紫英石、鸚落石、錦川石，青青栽着虎鬚蒲；軒閣東西，有木假山、翠屏山、嘯風山、玉芝山，處處叢生鳳尾竹。荼蘼架、薔薇架，近着鞦韆架，渾如錦帳羅幃；松柏亭、辛夷亭，對着木香亭，却似碧城綉幙。芍藥欄、牡丹叢，朱朱紫紫鬥秾華；夜合臺、茉藜檻，歲歲年年生嫵媚。涓涓滴露紫含笑，堪畫堪描；艷艷燒空紅拂桑，宜題宜賦。論景致，休誇閬苑蓬萊；較芳菲，不數姚黄魏紫。若到三春鬥草，園中祇少玉瓊花。

長老携着那怪，步賞花園，看不盡的奇葩异卉。行過了許多亭閣，真個是漸入佳境。忽抬頭，到了桃樹林邊，行者把師父頭上一掐，那長老就知。

行者飛在桃樹枝兒上，摇身一變，變作個紅桃兒，其實紅得可愛。長老對妖精道：『娘子，你這苑内花香，枝頭果熟。苑内花香蜂競采，枝頭果熟鳥争啣。怎麼這桃樹上果子青紅不一，何也？』妖精笑道：『天無陰陽，日月不明；地無陰陽，草木不生；人無陰陽，不分男女。這桃樹上果子，向陽處，有日色相烘者先熟，故紅；背陰處無日者還生，故青：此陰陽之道理也。』三藏道：『謝娘子指教。其實貧僧不知。』即向前伸手摘了個紅桃。妖精也去摘了一個青桃。三藏躬身將紅桃奉與妖怪道：『娘子，你愛色，請吃這個紅桃，拿青的來我吃。』妖精真個換了。且暗喜道：『好和尚啊！果是個真人！一日夫妻未做，却就有這般恩愛也。』那妖精喜喜歡歡的，把唐僧

親敬。這唐僧把青桃拿過來就吃。那妖精喜相陪，把紅桃兒張口便咬。啓朱唇，露銀牙，未曾下口，原來孫行者十分性急，轂轆一個跟頭，翻入他咽喉之下，徑到肚腹之中。妖精害怕，對三藏道：「長老啊，這個果子利害。怎麼不容咬破，就滚下去了？」三藏道：「娘子，新開園的果子愛吃，所以去得快了。」妖精道：「未曾吐出核子，他就攛下去了。」三藏道：「娘子意美情佳，喜吃之甚，所以不及吐核，就下去了。」

行者在他肚裏，復了本相。叫聲「師父，不要與他答嘴，老孫已得了手也！」三藏道：「徒弟方便着些。」妖精聽見道：「你和那個説話哩？」三藏道：「和我徒弟孫悟空説話哩。」妖精道：「孫悟空在那裏？」三藏道：「在你肚裏哩。却纔吃的那個紅桃子不是？」妖精慌了道：「罷了，罷了！這猴頭鑽在我肚內，我是死也！孫行者！你千方百計的鑽在我肚裏怎的？」行者在裏邊恨道：「也不怎的！只是吃了你的六葉連肝肺，三毛七孔心，五臟都淘净，弄做個梆子精！」妖精聽説，唬得魂飛魄散，戰戰兢兢的，把唐僧抱住道：「長老啊！我衹道：

夙世前緣繫赤繩，魚水相和兩意濃。不料鴛鴦今拆散，何期鸞鳳又西東！藍橋水漲難成事，佛廟煙沉嘉會空。着意一場今又別，何年與你再相逢！」

行者在他肚裏聽見説時，只怕長老慈心，又被他哄了。便就輪拳跳脚，支架子，理四平，幾乎把個皮袋兒搗破了。那妖精忍不得疼痛，倒在塵埃，半晌家不敢言語。行者見不言語，想是死了，却把手略鬆一鬆。他又回過氣來，叫：「小的們！在那裏？」原來那些小妖，自進園門來，各人知趣，都不在一處，各自去采花鬥草，任意隨心耍子，讓那妖精與唐僧兩個自在叙情兒。忽聽得叫，却纔都跑將來。又見妖精倒在地上，面容改色，口裏哼哼的爬不動，連忙攙起，圍在一處道：「夫人，怎的不好？想是急心疼了？」妖精道：「不是！不是！你莫要問，我肚裏已有了人也！快把這和尚送出去，留我性命！」那些小妖，真個都來扛抬。行者在肚裏叫道：「那個敢抬！要便是你自家獻我師父出去，出到外邊，我饒你命！」那怪精没計奈何，只是惜命之心，急掙起來，把唐僧揹在身上，拽開步，

往外就走。小妖跟隨道：『老夫人，往那裏去？』妖精道：『「留得五湖明月在，何愁没處下金鈎！」把這廝送出去，等我別尋一個頭兒罷！』

好妖精，一縱雲光，直到洞口。又聞得叮叮噹噹，兵刃亂叫。三藏道：『徒弟，外面兵器響哩。』行者道：『是八戒揉鈀哩。你叫他一聲。』三藏便叫：『八戒！』八戒聽見道：『沙和尚！師父出來也！』二人掣開鈀杖，妖精把唐僧馱出。咦！正是：

心猿裏應降邪怪，土木司門接聖僧。

畢竟不知那妖精性命如何，且聽下回分解。

總批：

妖精多變婦人，婦人多戀和尚，何也？作者亦自有意。祇爲妖精就是婦人，婦人就是妖精。妖精婦人，婦人妖精定偷和尚故也。

第八十三回 心猿識得丹頭 奼女還歸本性

却說三藏着妖精送出洞外，沙和尚近前問曰：『師父出來，師兄何在？』八戒道：『他有算計，必定貼換師父出來也。』三藏用手指着妖精道：『你師兄在他肚裏哩。』八戒笑道：『腌臟殺人！在肚裏做甚！出來罷！』行者在裏邊叫道：『張開口，等我出來！』那怪真個把口張開。行者變得小小的，蹦在咽喉之內，正欲出來，又恐他無理來咬，即將鐵棒取出，吹口仙氣，叫『變！』變作個棗核釘兒，撐住他的上腭子，把身一縱，跳出口外，就把鐵棒順手帶出，把腰一躬，還是原身法像，舉起棒來就打。那妖精也隨手取出兩口寶劍，丁當架住。兩個在山頭上這場好殺：

雙舞劍飛當面架，金箍棒起照頭來。一個是天生猴屬心猿體，一個是地產精靈奼女骸。他兩個，恨衝懷，喜處生仇大會垓。那個要取元陽成配偶，這個要戰純陰結聖胎。棒舉一天寒霧漫，劍迎滿地黑塵篩。因長老，拜如來，恨苦相爭顯大才。水火不投母道損，陰陽難合各分開。兩家鬥罷多時節，地動山搖樹木摧。

八戒見他們賭鬥，口裏絮絮叨叨，返恨行者。轉身對沙僧道：『兄弟，師兄胡纏！才子在他肚裏，輪起拳來，送他一個滿肚紅，扒開肚皮鑽出來，却不了帳？怎麼又從他口裏出來，却與他爭戰，讓他這等猖狂！』沙僧道：『正是。却也虧了師兄深洞中救出師父，返又與妖精廝戰。且請師父自家坐着，我和你各持兵器，助助大哥，打倒妖精去來。』八戒擺手道：『不，不，不！他有神通，我們不濟。』沙僧道：『說那裏話！都是大家有益之事。雖說不濟，却也放屁添風。』

那呆子一時興發，掣了釘鈀，叫聲『去來！』他兩個不顧師父，一擁駕風趕上。舉釘鈀，使寶杖，望妖精亂打。那妖精戰行者一個已是不能，又見他二人，怎生抵敵，急回頭，抽身就走。行者喝道：『兄弟們趕上！』那妖精見他們趕得緊，即將右脚上花鞋脱下來，吹口仙氣，念個咒語，叫『變！』即變作本身模樣，使兩口劍舞將來；

將身一幌，化一陣清風，徑直回去。這番也衹説戰他們不過，顧命而回，豈知又有這般樣事！也是三藏灾星未退：他到了洞門前牌樓下，却見唐僧在那裏獨坐，他就近前一把抱住，搶了行李，咬斷繮繩，連人和馬，復又攝將進去不題。

且説八戒閃個空，一鈀把妖精打落地，乃是一隻花鞋。行者看見道：「你這兩個呆子！看着師父罷了，誰要你來幫甚麽功！」八戒道：「沙和尚，如何麽！我説莫來。這猴子好的有些夾腦風。我們替他降了妖怪，返落得他生報怨！」行者道：「在那裏降了妖怪！那妖怪昨日與我戰時，使了一個遺鞋計哄了。你們走了，不知師父如何，我們快去看看！」

三人急回來，果然没了師父，連行李、白馬一併無踪。慌得個八戒兩頭亂跑，沙僧前後跟尋。孫大聖亦心焦性燥。正尋覓處，衹見那路旁邊斜着半截兒繮繩。他一把拿起，止不住眼中流泪，放聲叫道：「師父啊！我去時辭別人和馬，回來衹見這些繩！」正是那「見鞍思俊馬，滴泪想親人。」八戒見他垂泪，忍不住仰天大笑。行者罵道：「你這個夯貨！又是要散火哩！」八戒又笑道：「哥啊，不是這話。師父一定又被妖精攝進洞去了。常言道：『事無三不成。』你進洞兩遭了，再進去一遭，管情救出師父來也。」行者揩了眼泪道：「也罷，到此地位，勢不容已，我還進去。你兩個没了行李、馬匹耽心，却好生把守洞口。」

好大聖，即轉身跳入裏面，不施變化，就將本身法相。真個是：

古怪別腮心裏强，自小爲怪神力壯。高低面賽馬鞍鞒，眼放金光如火亮。渾身毛硬似鋼針，虎皮裙繫明花響。上天撞散萬雲飛，下海混起千層浪。當天倚力打天王，擋退十萬八千將。官封大聖美猴精，手中慣使金箍棒。今日西方任顯能，復來洞内扶三藏。

你看他停住雲光，徑到了妖精宅外。見那門樓門關了，不分好歹，輪鐵棒一下打開，闖將進去。那裏邊静悄悄，全無人跡。東廊下不見唐僧，亭子上桌椅，與各處傢火，一件也無。原來他的洞裏周圍有三百餘裏，妖精窠穴甚多。前番攝唐僧在此，被行者尋着，今番攝了，又怕行者來尋，當時搬了，不知去向。惱得這行者跌脚捶胸，放聲高叫道：「師父啊！你是個晦氣轉成的唐三藏，灾殃鑄就的取經僧！噫！這條路且是走熟了，如何不在？却教老孫那裏尋找也！」

正自吆喝爆燥之間，忽聞得一陣香烟撲鼻，他回了性道：「這香烟是從後面飄出，想是在後頭哩。」拽開步，提着鐵棒，走將進去看時，也不見動静。衹見有三間倒坐兒，近後壁却鋪一張龍吞口雕漆供桌，桌上有一個大流金香爐，爐内有香烟馥郁。那上面供養着一個大金字牌，牌上寫着「尊父李天王之位」，略次些兒，寫着「尊兄哪吒三太子位」。行者見了，滿心歡喜，也不去搜妖怪，找唐僧，把鐵棒捻作了綉花針兒，揌在耳朵裏，輪開手，把那牌子併香爐拿將起來，返雲光，徑出門去。至洞口，唏唏哈哈，笑聲不絶。

八戒、沙僧聽見，掣放洞口，迎着行者道：「哥哥這等歡喜，想是救出師父也？」行者笑道：「不消我們救，衹問這牌子要人。」八戒道：「哥啊，這牌子不是妖精，又不會説話，怎麽問他要人？」行者放在地下道：「你們看！」沙僧近前看時，上寫着「尊父李天王之位」「尊兄哪吒三太子位」。沙僧道：「此意何也？」行者道：「這是那妖精家供養的。我闖入他住居之所，見人跡俱無，惟有此牌。想是李天王之女，三太子之妹，思凡下界，假扮妖邪，將我師父攝去。不問他要人，却問誰要？你兩個且在此把守，等老孫執此牌位，徑上天堂玉帝前告個御狀，教天王爺兒們，還我師父。」八戒道：「哥啊，常言道：『告人死罪得死罪。』須是理順，方可爲之。况御狀又豈是可輕易告的？你且與我説，怎的告他。」行者笑道：「我有主張。我把這牌位、香爐做個證見，另外再備紙狀兒。」八戒道：「狀兒上怎麽寫？你且念念我聽。」行者道：

「告狀人孫悟空，年甲在牒，繫東土唐朝西天取經僧唐三藏徒弟。告爲假妖攝陷人口事。今有托塔天王李靖同

男哪吒太子，閨門不謹，走出親女，在下方陷空山無底洞變化妖邪，迷害人命無數。今將吾師攝陷曲邃之所，渺無尋處。若不狀告，切思伊父子不仁，故縱女氏成精害衆。伏乞憐準，行拘至案，收邪救師，明正其罪，深爲恩便。有此上告。』

八戒、沙僧聞其言，十分歡喜道：『哥啊，告的有理，必得上風。切須早來，稍遲恐妖精傷了師父性命。』行者道：『我快！我快！多時飯熟，少時茶滾就回。』

好大聖，執着這牌位、香爐，將身一縱，駕祥雲，直至南天門外。時有把天門的大力天王與護國天王見了行者，一個個都控背躬身，不敢攔阻，讓他進去。直至通明殿下，有張、葛、許、邱四大天師迎面作禮道：『大聖何來？』行者道：『有紙狀兒，要告兩個人哩。』天師吃驚道：『這個賴皮，不知要告那個。』無奈，將他引入靈霄殿下啓奏。蒙旨宣進。

行者將牌位、香爐放下，朝上禮畢，將狀子呈上。葛仙翁接了，鋪在御案。玉帝從頭看了，見這等這等，即將原狀批作聖旨，宣西方長庚太白金星領旨到雲樓宮宣托塔李天王見駕。行者上前奏道：『望天主好生懲治，不然，又別生事端。』玉帝又吩咐：『原告也去。』行者道：『老孫也去？』四天師道：『萬歲已出了旨意，你可同金星去來。』

行者真個隨着金星，縱雲頭，早至雲樓宮。原來是天王住宅，號雲樓宮。金星見宮門首有個童子侍立。那童子認得金星，即入裏報道：『太白金星老爺來了。』天王遂出迎迓。又見金星捧着旨意，即命焚香。及轉身，又見行者跟入，天王即又作怒。你道他作怒爲何？當年行者大鬧天宮時，玉帝曾封天王爲降魔大元帥，封哪吒太子爲三壇海會之神，帥領天兵，收降行者，屢戰不能取勝。還是五百年前敗陣的仇氣，有些惱他，故此作怒。他且忍不住道：『老長庚，你賫得是甚麽旨意？』金星道：『是孫大聖告你的狀子。』那天王本是煩惱，聽見説個『告』字，一發雷霆大怒道：『他告我怎的？』金星道：『告你假妖攝陷人口事。你焚了香，請自家開讀。』那天王氣呼呼的，設了香案，望空謝恩。拜畢，展開旨意看了，原來是這般這般，如此如此，恨得他手撲着香案道：『這個猴頭！他也錯告我了！』金星道：『且息怒。現有牌位、香爐在御前作證，説是你親女哩。』天王道：『我止有三個兒子，一個女兒。大小兒名金吒，侍奉如來，做前部護法。二小兒名木叉，在南海隨觀世音做徒弟。三小兒名哪吒，在我身邊，早晚隨朝護駕。一女年方七歲，名貞英，人事尚未省得，如何會做妖精！不信，抱出來你看。這猴頭着實無禮！且莫説我是天上元勳，封受先斬後奏之職，就是下界小民，也不可誣告。律云：「誣告加三等。」』叫手下：『將縛妖索把這猴頭捆了！』那庭下擺列着巨靈神、魚肚將、藥叉雄帥，一擁上前，把行者捆了。金星道：『李天王莫闖禍啊！我在御前同他領旨意來宣你的人。你那索兒頗重，一時捆壞他，閉氣。』天王道：『金星啊，似他這等詐僞告擾，怎該容他！你且坐下，待我取砍妖刀砍了這個猴頭，然後與你見駕回旨！』金星見他取刀，心驚膽戰，對行者道：『你幹事差了。御狀可是輕易告的？你也不訪的實，似這般亂弄，傷其性命，怎生是好？』行者全然不懼，笑吟吟的道：『老官兒放心，一些没事。老孫的買賣，原是這等做，一定先輸後贏。』

説不了，天王輪過刀來，望行者劈頭就砍。早有那三太子趕上前，將斬腰劍架住，叫道：『父王息怒。』天王大驚失色。噫！父見子以劍架刀，就當喝退，怎麽返大驚失色？原來天王生此子時，他左手掌上有個『哪』字，右手掌上有個『吒』字，故名哪吒。這太子三朝兒就下海净身闖禍，踏倒水晶宫，捉住蛟龍要抽筋爲縧子。天王知道，恐生後患，欲殺之。哪吒奮怒，將刀在手，割肉還母，剔骨還父；還了父精母血，一點靈魂，徑到西方極樂世界告佛。佛正與衆菩薩講經，衹聞得幢幡寶蓋有人叫道：『救命！』佛慧眼一看，知是哪吒之魂，即將碧藕爲骨，荷葉爲衣，念動起死回生真言，哪吒遂得了性命。運用神力，法降九十六洞妖魔，神通廣大。後來要殺天王，報那剔骨之仇。天王無奈，告求我佛如來。如來以和爲尚，賜他一座玲瓏剔透舍利子如意黄金寶塔，那塔上層層有佛，艷艷光明。喚哪吒以佛爲父，解釋了冤仇。所以稱爲托塔李天王者，此也。今日因閑在家，未曾托着那塔，

恐哪吒有報仇之意，故嚇個大驚失色。却即回手，向塔座上取了黄金寶塔，托在手間，問哪吒道：『孩兒，你以劍架住我刀，有何話說？』哪吒弃劍叩頭道：『父王，是有女兒在下界哩。』天王道：『孩兒，我衹生了你姊妹四個，那裏又有個女兒哩？』哪吒道：『父王忘了。那女兒原是個妖精。三百年前成怪，在靈山偷食了如來的香花寶燭，如來差我父子天兵，將他拿住。拿住時，衹該打死。如來吩咐道：「積水養魚終不釣，深山餵鹿望長生。」當時饒了他性命。積此恩念，拜父王爲父，拜孩兒爲兄，在下方供設牌位，侍奉香火。不期他又成精，陷害唐僧，却被孫行者搜尋到巢穴之間，將牌位拿來，就做名告了御狀。此是結拜之恩女，非我同胞之親妹也。』

天王聞言，悚然驚訝道：『孩兒，我實忘了。他叫做甚麽名字？』太子道：『他有三個名字：他的本身出處，喚做金鼻白毛老鼠精；因偷香花寶燭，改名喚做半截觀音；如今饒他下界，又改了，喚做地涌夫人是也。』天王却纔省悟。放下寶塔，便親手來解行者。行者就放起刁來道：『那個敢解我！要便連繩兒抬去見駕，老孫的官事才赢！』慌得天王手軟，太子無言，衆家將委委而退。

那大聖打滚撒賴，衹要天王去見駕。天王無計可施，哀求金星說個方便。金星道：『古人云：「萬事從寬。」你幹事忒緊了些兒，就把他捆住，又要殺他。這猴子是個有名的賴皮，你如今教我怎的處！若論你令郎講起來，雖是恩女，不是親女，却也晚親義重，不拘怎生折辨，你也有個罪名。』天王道：『老星怎說個方便，就没罪了。』金星道：『我也要和解你們，却只是無情可說。』天王笑道：『你把那奏招安授官銜的事，說說他也罷了。』真個金星上前，將手摸着行者道：『大聖，看我薄面，解了繩好去見駕。』行者道：『老官兒，不用解。我會滚法，一路滚就滚到也。』金星笑道：『你這猴忒恁寡情。我昔日也曾有些恩義兒到你，你這些些事兒，就不依我。』行者道：『你與我有甚恩義？』金星道：『你當年在花果山爲怪，伏虎降龍，强消死籍，聚群妖大肆猖狂，上天欲要擒你，是老身力奏，降旨招安，把你宣上天堂，封你做「弼馬温」。你吃了玉帝仙酒，後又招安，也是老身力奏，封你做「齊天大聖」。你又不守本分，偷桃盗酒，竊老君之丹，如此如此，才得個無滅無生。若不是我，你如何得到今日？』行者道：『古人說得好，「死了莫與老頭兒同墓，乾净會揭挑人！」我也只是做弼馬温，鬧天宫罷了，再無甚大事。也罷，也罷，看你老人家面皮，還教他自己來解。』天王才敢向前，解了縛，請行者着衣上坐，一一上前施禮。

行者朝了金星道：『老官兒，何如？我說先輸後赢，買賣兒原是這等做。快催他去見駕，莫誤了我的師父。』金星道：『莫忙。弄了這一會，也吃鐘茶兒去。』行者道：『你吃他的茶，受他的私，賣放犯人，輕慢聖旨，你得何罪？』金星道：『不吃茶！不吃茶！連我也賴將起來了！李天王，快走！快走！』天王那裏敢去，怕他没的說做有的，放起刁來，口裏胡說亂道，怎生與他折辨，没奈何，又央金星，教說方便。金星道：『我有一句話兒，你可依我？』行者道：『繩捆刀砍之事，我也通看你面，還有甚話？你說！你說！說得好，就依你；說得不好，莫怪。』

金星道：『一日官事十日打。』你告了御狀，說妖精是天王的女兒，天王說不是，你兩個衹管在御前折辨，反複不已，我說天上一日，下界就是一年。這一年之間，那妖精把你師父，陷在洞中，莫說成親，若有個喜花下兒子，也生了一個小和尚兒，却不誤了大事？』行者低頭想道：『是啊！我離八戒、沙僧，衹說多時飯熟、少時茶滚就回；今已弄了這半會，却不遲了？老官兒，既依你說，這旨意如何回繳？』金星道：『教李天王點兵，同你下去降妖，我去回旨。』行者道：『你怎麽樣回？』金星道：『我衹說原告脱逃，被告免提。』行者笑道：『好啊！我倒看你面情罷了，你倒說我脱逃！教他點兵在南天門外等我，我即和你回旨繳狀去。』天王害怕道：『他這一去，若有言語，是臣背君也。』行者道：『你把老孫當甚麽樣人？我也是個大丈夫！「一言既出，駟馬難追。」豈又有污言頂你？』

天王即謝了行者。行者與金星回旨。天王點起本部天兵，徑出南天門外。金星與行者回見玉帝道：『陷唐僧者，乃金鼻白毛老鼠成精，假設天王父子牌位。天王知之，已點兵收怪去了，望天尊赦罪。』玉帝已知此情，降天恩免究。行者即返雲光，到南天門外。見天王、太子，佈列天兵等候。噫！那些神將，風滚滚，霧騰騰，接住大聖，

一齊墜下雲頭，早到了陷空山上。

八戒、沙僧眼巴巴正等，衹見天兵與行者來了。呆子迎着天王施禮道：「累及！累及！」天王道：「天蓬元帥，你却不知。衹因我父子受他一炷香，致令妖精無理，困了你師父。來遲莫怪。這個山就是陷空山了？但不知他的洞門還向那邊開？」行者道：「我這條路且是走熟了。只是這個洞叫做個無底洞，周圍有三百餘裏。妖精窠穴甚多。前番我師父在那兩滴水的門樓裏，今番静悄悄，鬼影也没個，不知又搬在何處去也。」天王道：「任他設盡千般計，難脱天羅地網中。」到洞門前，再作道理。」大家就行。

咦，約有十餘裏，就到了那大石邊。行者指那缸口大的門兒道：「兀的便是也。」天王道：「不入虎穴，安得虎子！」誰敢當先？」行者道：「我當先。」三太子道：「我奉旨降妖，我當先。」那呆子便莽撞起來，高聲叫道：「當頭還要我老猪！」天王道：「不鬚羅唣，但依我分攤：孫大聖和太子同領着兵將下去，我們三人在口上把守，做個裏應外合，教他上天無路，入地無門，才顯些些手段。」衆人都答應了一聲「是。」

你看那行者和三太子，領了兵將，望洞裏只是一溜。駕起雲光，閃閃爍爍，抬頭一望，果然好個洞啊：

依舊雙輪日月，照般一望山川。珠淵玉井暖韜煙，更有許多堪羨。迭迭朱樓畫閣，嶷嶷赤壁青田。三春楊柳九秋蓮，兀的洞天罕見。

頃刻間，停住了雲光，徑到那妖精舊宅。挨門兒搜尋，吆吆喝喝，一重又一重，一處又一處，把那三百里地，草都踏光了，那見個妖精？那見個三藏？都衹說：「這孽畜一定是早出了這洞，遠遠去哩。」那曉得在那東南黑角落上，望下去，另有個小洞。洞裏一重小小門，一間矮矮屋，盆栽了幾種花，檐傍着數竿竹，黑氣氲氲，暗香馥馥。老怪攝了三藏，搬在這裏逼住成親，衹說行者再也找不着。誰知他命合該休：那些小怪，在裏面，一個個嚌嚌嘈嘈，挨挨簇簇。中間有個大膽些的，伸起頸來，望洞外略看一看，一頭撞着個天兵，一聲嚷道：「在這裏！」那行者惱起性來，捻着金箍棒，一下闖將進去，那裏邊窄小，窩着一窟妖精。三太子縱起天兵，一齊擁上，一個個那裏去躲？

行者尋着唐僧，和那龍馬，和那行李。那老怪尋思無路，看着哪吒太子，只是磕頭求命。太子道：「這是玉旨來拿你，不當小可。我父子衹爲受了一炷香，險些兒「和尚拖木頭，做出了寺！」」啐聲：「天兵，取下縛妖索，把那些妖精都捆了！」老怪也少不得吃場苦楚。返雲光，一齊出洞。行者口裏嘻嘻嘎嘎。天王掣開洞口，迎着行者道：「今番却見你師父也。」行者道：「多謝了！多謝了！」就引三藏拜謝天王，次及太子。沙僧、八戒只是要碎剐那老精，天王道：「他是奉玉旨拿的，輕易不得。我們還要去回旨哩。」

一邊天王同三太子領着天兵神將，押住妖精，去奏天曹，聽候發落，一邊行者擁着唐僧，沙僧收拾行李，八戒攏馬，請唐僧騎馬，齊上大路。這正是：

割斷絲羅乾金海，打開玉鎖出樊籠。

畢竟不知前去何如，且聽下回分解。

總批：

半截觀音，不知是上半截，不知是下半截。請問世人還是上半截好，還是下半截好？一笑，一笑。

好呆子，把釘鈀撒在腰裏，下山凹，摇身一變，變做個黑胖和尚。摇摇擺擺，走近怪前，深深唱個大喏道：『奶奶，貧僧稽首了。』那兩個喜道：『這個和尚却好，會唱個喏兒，又會稱道一聲兒。』問道：『長老，那裏來的？』八戒道：『那裏來的。』又問：『那裏去的？』又道：『那裏去的。』又問：『你叫做甚麽名字？』又答道：『我叫做甚麽名字。』那怪笑道：『這和尚好便好，只是没來歷，會説順口話兒。』八戒道：『奶奶，你們打水怎的？』那怪道：『和尚，你不知道：我家老夫人今夜裏攝了一個唐僧在洞内，要管待他；我洞中水不乾凈，差我兩個來此打這陰陽交媾的好水，安排素果素菜的筵席，與唐僧吃了，晚間要成親哩。』

那呆子聞得此言，急抽身跑上山叫：『沙和尚，快拿將行李來，我們分了罷！』沙僧道：『二哥，又分怎的？』八戒道：『分了便你還去流沙河吃人，我去高老莊探親，哥哥去花果山稱聖，白龍馬歸大海成龍。師父已在這妖精洞内成親哩！我們都各安生理去也！』行者道：『這呆子又胡説了！』八戒道：『你的兒子胡説！才那兩個抬水的妖精説，安排素筵席與唐僧吃了成親哩！』行者道：『那妖精把師父困在洞内，師父眼巴巴的望我們去救，你却在此説這樣話！』八戒道：『怎麽救？』行者道：『你兩個牽着馬，挑着擔，我們跟着那兩個女怪，做個引子，引到那門前，一齊下手。』

真個呆子只得隨行。行者遠遠的標着那兩怪，漸入深山，有一二十里遠近，忽然不見。八戒驚道：『師父是日裏鬼拿去了！』行者道：『你好眼力！怎麽就看出他本相來？』八戒道：『那兩個怪，正抬着水走，忽然不見，却不是個日裏鬼？』行者道：『想是鑽進洞去了。等我去看。』

好大聖，急睁火眼金睛，漫山看處，果然不見動静。祇見那陡崖前，有一座玲瓏剔透細妝花，堆五采，三檐四簇的牌樓。他與八戒、沙僧近前觀看，上有六個大字，乃『陷空山無底洞』。行者道：『兄弟呀，這妖精把個架子支在這裏，還不知門向那裏開哩。』沙僧説：『不遠！不遠！好生尋！』都轉身看時，牌樓下，山脚下有一塊大石，約有十餘裏方圓；正中間有缸口大的一個洞兒，爬得光溜溜的。八戒道：『哥啊，這就是妖精出入洞也。』行者看了道：『怪哉！我老孫自保唐僧，瞞不得你兩個，妖精也拿了些，却不見這樣洞府。八戒，你先下去試試，看有多少淺深，我好進去救師父。』八戒摇頭道：『這個難！這個難！我老猪身子夯夯的，若塌了脚吊下去，不知二三年可得到底哩！』行者道：『就有多深麽？』八戒道：『你看！』大聖伏在洞邊上，仔細往下看處，咦！深啊！周圍足有三百餘裏，回頭道：『兄弟，果然深得緊！』八戒道：『你便回去罷。師父救不得耶！』行者道：『你説那裏話！「莫生懶惰意，休起怠荒心。」且將行李歇下，把馬拴在牌樓柱上，你使釘鈀，沙僧使杖，攔住洞門，讓我進去打聽打聽。若師父果在裏面，我將鐵棒把妖精從裏打出，跑至門口，你兩個却在外面擋住：這是裏應外合。打死精靈，才救得師父。』二人遵命。

行者却將身一縱，跳入洞中，足下彩雲生萬道，身邊瑞氣護千層。不多時，到于深遠之間，那裏邊明明朗朗，一般的有日色，有風聲，又有花草果木。行者喜道：『好去處啊！想老孫出世，天賜與水簾洞，這裏也是個洞天福地！』正看時，又見有一座二滴水的門樓，團團都是松竹，内有許多房舍。又想道：『此必是妖精的住處了。我且到那裏邊去打聽打聽。——且住！若是這般去啊，他認得我了，且變化了去。』摇身捻訣，就變做個蒼蠅兒，輕輕的飛在門樓上聽聽。祇見那怪高坐在草亭内。他那模樣，比在松林裏救他，寺裏拿他，便是不同，越發打扮得俊了：

發盤雲髻似堆鴉，身着緑絨花比甲。一對金蓮剛半折，十指如同春笋發。團團粉面若銀盆，朱唇一似櫻桃滑。端端正正美人姿，月裏嫦娥還喜恰。今朝拿住取經僧，便要歡娛同枕榻。

行者且不言語，聽他説甚話。少時，綻破櫻桃，喜孜孜的叫道：『小的們，快排素筵席來，我與唐僧哥哥吃了成親。』行者暗笑道：『真個有這話！我祇道八戒作耍子亂説哩！等我且飛進去尋尋，看師父在那裏。不知他的心性如何。假若被他摩弄動了啊，留他在這裏也罷。』即展翅，飛到裏邊看處，那東廊下上明下暗的紅紙格子裏面，坐着唐僧哩。